4

LA CAUSA DE LA LIBERTAD

Javier Montilla

LA CAUSA DE LA LIBERTAD

ÍNDICE

3. La España de ZP... Y la que hereda Rajoy

3.1 La rendición ante ETA y el 11-M

3.2 El nacionalismo catalán o una libertad amenazada

3.3   La ruina política, institucional y económica

3.4   La ruina social y la libertad ciudadana

1. A modo de introducción

No podía estar más certero Jean-François Revel, el fantástico escritor liberal francés, cuando a raíz de *La obsesión antiamericana*, posiblemente una de sus mejores obras, dijo aquello de que la certeza de ser de izquierdas descansa en un criterio muy simple, ser, en todas las circunstancias, de oficio, pase lo que pase y se trate de lo que se trate, antiamericano.

Para ser sincero y para que el lector entienda el contexto de este libro, la lectura de la obra de Revel fue el detonante para vivir en primera persona una de esas experiencias políticas y emocionales que alguien pueda tener en su vida: darse cuenta que la rama ideológica a la que uno pertenece *per se* es errónea o mucho peor, que ha enloquecido hasta el tuétano. ¿O tal vez ya lo estaba y no me había dado cuenta? Ese es mi camino desde la izquierda al liberalismo. Es decir, de creer que la socialdemocracia era el paradigma de la justicia, la libertad y la solidaridad, a percatarme que era precisamente todo lo contrario. Y ya vacunado, habiendo generado anticuerpos, ser miembro activo de esa corriente beligerante con mi otrora creo revolucionario y libertario. Me van a perdonar, pero creía necesario hacer de inicio este pequeño gesto de honestidad personal con los lectores. Aunque sea, si cabe, para que se entienda mi lucha por la causa de la libertad. Causa que va unida intrínsecamente con mi evolución natural hacia el liberalismo.

Vaya por delante que locura no es, quizás, el término más adecuado para describir esa obsesión antiamericana que se hizo más que evidente los días posteriores al atentado que sufrió Nueva York y su corazón financiero, las Torres Gemelas. A decir verdad, no pocos intelectuales -cineastas, titiriteros y pensadores varios de la izquierda patria y lejana- se negaban a condenar tal atrocidad y hasta podían encontrar razones –donde no las había- para justificar las locuras de unos islamistas que segaron la vida a más de 3.000 personas. Y todo ello en medio del dolor de tantas víctimas inocentes y tantas familias rotas.

Pero semejante comportamiento no procedía en exclusiva de la izquierda sociológica. Recordemos, si no, cómo quedó patente la indigencia moral e intelectual de la progresía, reflejada en aquella portada de *El País* aquel 12 de septiembre de 2011. Y es que el diario oficial del zapaterismo, hasta la llegada del ínclito Roures, y cuyo paladín yace a mejor vida políticamente hablando, abría así su edición: *El mundo en vilo a la espera de las represalias de Bush.* Viendo lo sucedido lo lógico es que todo el mundo estuviese conmocionado y que la prensa en general, y los medios izquierdistas en particular, se identificaran con el pueblo americano. Aunque solo hubiera sido por los millares de cuerpos carbonizados entre los escombros del World Trade Center. Pero estaba visto que no era así. Las víctimas, al fin y al cabo, eran norteamericanas y, por ende, imperialistas.

Para esa izquierda lunática, los Estados Unidos eran, por tanto, la perfidia personificada y si había que tener miedo de alguien era de ellos. ¿Pero cómo una democracia podía infundir más miedo que el fundamentalismo islámico? Parece increíble pero era lo que le inquietaba al antiguamente imperio *polanquista:* la mera posibilidad de que los dirigentes libremente elegidos de la primera nación democrática de la Historia cumplieran con su obligación moral, legal y política de perseguir y actuar con la legalidad vigente contra los criminales que atentaron contra el corazón financiero de Estados Unidos. ¿No debería de ser esto normal en cualquier Estado de derecho? Debería, pero España, por ejemplo, y como veremos a lo largo del libro, sigue sin hacer justicia a las víctimas de su mayor atentado, el 11-M, del que aún quedan muchas lagunas y cuya versión oficial se desmorona cada día que pasa.

Así que, como consecuencia, y con el paso del tiempo, empecé a percatarme de las razones por las cuales los socialistas de todos los partidos, a los que se refería Hayek, aborrecen a los Estados Unidos. Y entendí que lo odian por todo lo que esa gran nación representa: libertad, propiedad privada, valores morales, sociedad civil, democracia con auténtica separación de poderes y determinación para combatir con aquellos que intentan imponer su violencia. Curiosamente justo lo contrario que se hace en nuestro país.

Con todo, este hecho no ha sido el único que me ha hecho desertar de esta izquierda. Por desgracia, la izquierda que presume de libertaria es profundamente reaccionaria y antioccidental. Y por todo ello, cómplice del avance del totalitarismo en el mundo, con la complicidad de una derecha que cuando no es reaccionaria es acomplejada, como veremos. Sin embargo, pocas veces una ideología ha sido tan cara en términos de vidas humanas como el comunismo y el socialismo marxista. ¿Olvidamos que el comunismo, a diferencia del nazismo, sigue ahí? Cuba y Corea del Norte, como veremos, son dos buenos ejemplos. No en vano, Cuba cuenta con la protección de hecho y de derecho de esta izquierda excéntrica que como me comentaba hace un tiempo la periodista Gina Montaner, mientras detesta a los disidentes cubanos en el exilio, se abraza a los totalitarismos y se vanagloria de la dictadura castrista, como una mala praxis del izquierdismo más execrable.

Una izquierda que no ha superado la herencia del régimen estalinista y el espíritu de la Cheka y que tiene a sus espaldas más de 100 millones de muertos. Una izquierda que, salvo excepciones, tiene un odio exacerbado a Israel, o séase, un antisemitismo inconsciente. Sin embargo, faltaría a la verdad si no dijese que este problema es transversal a los espectros ideológicos y la derecha también es responsable de ello. Lo contrario sería mirar este asunto con la mirada sectaria típica del fanatismo. No es de extrañar, pues, que la crisis ideológica de esta izquierda, desorientada tras el fracaso que ha supuesto el socialismo y abandonada al ateísmo teórico, le haya llevado a unirse intelectualmente al nacionalismo, al antisemitismo más enfermizo, al islamismo y a otras ideologías trasnochadas, como veremos. Pero entre estas, sin lugar a dudas, el antisemitismo cobra una importancia soberana. Y es que, desgraciadamente, tenemos líderes de una izquierda lunática que banaliza el holocausto y justifica dictaduras terribles. Esos líderes, y esa corriente de opinión, explican el odio que hoy sufre Israel en el mundo, especialmente en Europa.

De hecho, los resultados de una encuesta que hace algún tiempo elaboró el Ministerio de Asuntos Exteriores y Cooperación, reflejan que España es junto a Polonia el país más antisemita de Europa. La encuesta reflejaba que el 58,4% de la población española opina que los judíos tienen mucho poder porque controlan la economía y los medios de comunicación y más de un tercio (34,6%) tiene una opinión desfavorable o totalmente desfavorable de esa comunidad religiosa, que en España apenas suma 40.000 personas. El estudio se realizó sobre 1.012 entrevistas a ciudadanos mayores de 15 años.

Estos datos del *Informe sobre Antisemitismo en España 2010* avalan otros de una encuesta oficial entre escolares realizada hace un lustro aproximadamente, según la cual algo más de la mitad de los estudiantes no querría tener a un chico judío como compañero de pupitre pese a no poder reconocerlo físicamente. Curiosamente, es la extrema derecha la que menos rechazo tiene por las comunidades judías (un 34%), frente al 37,7%

entre personas que se declaran de centro izquierda. Y este dato no es baladí. Porque por una cuestión de imagen, hoy día, salvo la ultraderecha, afín al nazismo, nadie se proclama antisemita. Valeri Grossman lo definió perfectamente refiriéndose a la misma como la expresión de la falta de talento, de la incapacidad de vencer en una contienda disputada con las mismas armas; y eso es aplicable a todos los campos, tanto la ciencia como el comercio, la artesanía, la pintura. El antisemitismo es la medida de la mediocridad humana.

Resulta curioso. Tres ideologías aparentemente dispares y opuestas con mucho en común: la izquierda, el islamismo y la extrema derecha. Pese a sus diferencias retóricas, lo cierto es que todas ellas comparten un profundo desprecio por la libertad y la democracia. ¿La causa? Israel es el refinamiento de Occidente, la única nación democrática en Oriente Medio: algo que, como a los judíos antaño, lo convierte inmediatamente haga lo que haga es culpable. Pero sobre todo, es el objetivo primordial del fundamentalismo islámico.

Es tal vez por ello, por lo que conviene analizar con detalle en la primera parte del libro por qué el salafismo y el wahabismo, las alas más radicales del fanatismo religioso, están penetrando con mucha fuerza y dureza en nuestras democracias liberales.

Así que no es exagerado afirmar que Al Qaeda es solo la punta del iceberg de un asunto muy complejo cuyo fin es erosionar nuestras libertades en Occidente.

En este sentido, comparto las tesis vertidas por el politólogo estadounidense Samuel Huntington de que la civilización, y el resurgimiento de las convicciones de las democracias liberales, se erigen con más fuerza a partir del 11-S. Por tanto, se produce un choque entre civilizaciones, entre dos mundos con rasgos y atributos presuntamente antagónicos, entre los que cualquier tipo de alianza se antoja razonablemente imposible y que, origina una nueva perspectiva en el estado de las cosas. Y por tanto, una nueva era se abre. A partir de ahora, la fuente de conflicto dominante no será ni ideológica ni económica sino cultural, dirimiéndose la política entre naciones y grupos pertenecientes a diferentes civilizaciones. Y por esta razón es por la que analizo pormenorizadamente uno de los errores más descomunales por la causa de la libertad: el proyecto de la alianza de Civilizaciones auspiciado por el ex presidente del Gobierno de España, José Luis Rodríguez Zapatero. Principalmente, porque es un error básico de concepto. La alianza no debería ser entre civilizaciones sino entre individuos civilizados y con autonomía.

No osaría nunca considerar al presidente Zapatero un necio, pero sí creo que su buenismo internacional le ha llevado a cometer algunas de las grandes boberías de su mandato con un apoyo desmedido de regímenes dictatoriales. Ahí está, por ejemplo, el paseo de Moratinos por Cuba, legitimando al régimen y dejando en el ostracismo a la oposición democrática y a la disidencia. O la venta de armas al imprevisible y peligroso Hugo Chávez. O su apoyo a la guerra de Libia del desaparecido Gadafi. O el antisemitismo, al que me he referido con anterioridad. O el desplante a los norteamericanos, insultando a su bandera. O el lamentable episodio de la kefia palestina, en plena guerra de Líbano.

Pero en vano resultaría denunciar la falta de libertad en tantos países islámicos, el antisemitismo por sistema de una parte sustancial de la izquierda española y parte importante de la derecha y la opresión que subyace en tantas sociedades donde aún persiste una dictadura comunista, si no denunciara lo que ocurre a la vuelta de la esquina. Bien es cierto que es mucho más fácil denunciar lo que no nos afecta en primera persona que denunciar lo que, por levantar el dedo, la propia libertad individual se va a ver afectada. Dice una máxima del periodismo que los hechos son sagrados y las opiniones, libres.

Y los hechos, además de sagrados, son tozudos. Es evidente que si se acaba con la independencia y la libertad individual, entonces entraríamos de lleno en el Gran Hermano orwelliano. Es decir, que viviéramos casi con una policía del pensamiento, obligándote a pensar de determinada manera y si no ya te tildan de fascista o antisistema, por los dos extremos ideológicos.

Por tanto, resulta cuando menos heroico denunciar cómo esta izquierda nos ha hecho padecer con sus políticas, desde la politización de la Justicia y el entierro de Montesquieu y la corrupción generalizada hasta el desastre educativo, víctimas de la LOGSE y demás consecuencias para crear masas acríticas y doctrinarias a las que inocular dogmáticamente el pensamiento único intentando impedir cualquier voz crítica aunque fuera a costa de la libertad de expresión. Por no hablar de sus tendencias necrófilas contra el derecho a la vida. Y también todo el mundo conoce su afición desmedida a la mentira, que va desde la perversión de lenguaje que ya denunciara Revel hasta el engaño masivo, sean terroristas suicidas en los trenes, que no se negociaba tras un atentado llamado accidente mortal o que no había crisis económica en España. Esto no es nuevo, ya alertaba Gregorio Marañón contra las mentiras orquestadas por la izquierda también en los fatídicos años treinta.

Por lo tanto, con estos antecedentes a nadie le puede extrañar la rendición del gobierno mendigando por el fin de ETA, vendiendo su alma si para ello fuese necesario. Como si de una mala criatura de Goethe se tratase, este gobierno se ha arrodillado ante una banda de asesinos totalitarios. Y la historia está ahí. Porque políticamente, ETA se hallaba contra las cuerdas ante de la llegada de José Luis Rodríguez Zapatero. Sin embargo, este se empeñó en alimentar a la bestia hasta límites sospechados, incluido un chivatazo deleznable para que huyera la cúpula de extorsión de la banda. Por lo tanto, se le ha tendido una mullida alfombra roja con tal de conseguir una mínima apariencia de tregua sin percatarse de que es imposible el pacto con los terroristas. Y sin casi ningún esfuerzo están tan crecidos que creen estar ganando la batalla. Y en un escenario así no puede haber libertad. Y no la puede haber cuando esa libertad se reserva para los peores asesinos mientras se niega justicia y dignidad a las víctimas. Y no puede haber una paz sin justicia. Esa es parte de la herencia que deja Zapatero -y que tan mal está gestionando Rajoy- y que es sin duda lesiva para la causa de la libertad. Aunque esa libertad parece que a la sociedad no le importe. Si nos tienen ocupados en luchar unos contra otros o con la telebasura nunca nos plantearemos nada. Pero para evitarnos pensar, están los medios de comunicación al servicio del poder que nos dicen lo que hay que decir, qué pensar y cómo hay que actuar. Ese es el sistema creado. Todo para tener controlado al pesebre.

Pero si hay un lugar donde las libertades individuales se vulneran día a día, ese lugar es Cataluña. Como nadie me puede acusar de alentar la catalanofobia, pues mi DNI no engaña, resulta desalentador lo que ocurre en Cataluña, en nombre de un nacionalismo que, a falta de diferenciación de religión o raza, para reivindicar el hecho diferencial de una supuesta nación, solo puede sustentarse en la lengua. La historia nos demuestra que los derechos individuales son los mimbres básicos de la libertad y que cuando se cercenan, como es el caso de Cataluña con la lengua vehicular en la educación, la libertad se ve amenazada si es que no es inexistente. Lo que ha pasado en Cataluña es que los distintos gobiernos, todos nacionalistas en mayor o menor medida, se han dedicado a construir un ficticio país en lugar de gobernar para la ciudadanía. Nada nuevo. Llevan haciéndolo desde que hicieron mito a Rafael de Casanova, ese abogado burgués que jamás luchó por Cataluña sino por la libertad, pero al que el nacionalismo se empeña en convertir en héroe. Aunque ya sabemos de la obcecación del nacionalismo de falsear la historia para poder subsistir y para que la casta política parasitaria, sus parentelas varias y sus amigos vivan como marqueses y pastando en el presupuesto público, que decían nuestros ancestros liberales de la Constitución de Cádiz de 1812.

Porque mientras haya una ciudadanía que prefiera vivir en un cubil antes que en una verdadera democracia, todo seguirá igual. Mientras haya personas que no se revelen contra un gobierno y una ideología como el nacionalismo que prefiere que sus ciudadanos vayan al cine en catalán pero pobre de ellos si caen enfermos, es una sociedad empobrecida cuando no enferma. Cuando una sociedad calla y otorga, cuando una ciudadanía que se llama libre sigue apoyando a los mismos que luego cierran quirófanos -mientras otorgan millonarias subvenciones a sus amigos de ciertas plataformas por la lengua o a selecciones deportivas catalanas-, esa sociedad civil es igual de culpable que su clase política.

Sin embargo, en el tema de la lengua como veremos, una cosa es la ley y otra la práctica. La Cataluña oficial, una especie de

Matrix virtual con barretina, se corresponde poco con la real, la que se expresa con total normalidad tanto en catalán como en castellano. Es por ello por lo que si de algo podemos acusar con el dedo al nacionalismo más trasnochado que sufrimos muchos catalanes, sin miedo a equivocarnos, es que vivimos en una auténtica hipocresía. Porque la realidad es que quien tiene dinero, encuentra la alternativa. No en vano, en muchos colegios catalanes privados las lenguas vehiculares son catalán, castellano y una lengua extranjera. Todo el mundo lo sabe pero la Cataluña oficial lo oculta y la emprende contra los tribunales para hacerse la víctima de una España opresora. Y no solo eso, sino que se atreve a llamar maltratadores a los padres que así lo solicitan para sus hijos.

Pongamos por ejemplo el colegio Aula de Barcelona, en el que estudiaron tanto Artur Mas como sus hijos. De forma clara, allí se dice que en esta escuela el catalán y el castellano son lenguas vehiculares desde la más tierna infancia y que, más adelante, también lo son el francés y el inglés. Es un ejemplo, hay muchos más, todos los sabemos. De hecho, hasta la ex primera dama del extinto segundo tripartito, que en paz descanse políticamente, Anna Hernández, se vanagloria de llevar a sus hijos a la escuela alemana, no teniendo reparos en afirmar que "sus hijos saben catalán perfectamente, aunque cuando lo escriben hacen faltas de ortografía, pero que prefiere que sepan alemán". Declaraciones recogidas en el libro del periodista Gabriel Pernau *Descubriendo a Montilla*, la biografía de su marido, a la sazón ex presidente de la Generalitat. Así que la inmersión lingüística como norma general es, pues, una pura hipocresía: se aplica cuando conviene y por ello es discriminatoria. Quienes tienen recursos económicos suficientes, como la señora Hernández, pueden encontrar colegios bilingües o trilingües, y además mandan después a sus hijos al extranjero. Quienes no los tienen están obligados a estudiar en catalán como única lengua vehicular. Lo más vergonzoso, sin embargo, poco puede extrañar, es que a quienes critican esta política se les tacha de anticatalanes. Parece claro que aquellos que vilipendian al por mayor temen al espíritu libre y al pensamiento crítico. Lo que en cierta medida no es baladí, porque no recurren al argumento ni a la razón por sistema, sino que suspiran por ver destruido moralmente a quien no piensa como ellos.

Una última reflexión antes de dejarles con la lectura de estos artículos. En este país hay dos clases de personas, los que quieren enterarse y los que no quieren saber nada. Por desgracia, la mayoría se va a la telebasura porque siempre hay entretenimiento para el que no se quiere enterar. Muchos, en cambio, nos rebelamos contra ello. Porque somos muchos los que pensamos que una vida que no se puede vivir en libertad es una vida que no merece la pena ser vivida. Es más peligroso, pero sin duda es el único camino para la causa de la libertad. Que debería ser la causa de todos.

Barcelona, abril de 2012

2. LIBERTAD Y TOTALITARISMOS

Razones incómodas en el conflicto judío-palestino

Seguramente me van a tachar de tener convicciones sionistas, imperialistas o anticomunistas sobre el conflicto judío-palestino. En definitiva, un cultivador del terrorismo militar contra el pueblo palestino, como cierta izquierda tendería a calificar. Me refiero a la izquierda que, ataviada con la *kufiyya*, en no pocas ocasiones tiene tics autócratas y se cree en posesión de la verdad absoluta, a imagen y semejanza de cierta derecha con la cual obviamente no comulgo y que está ideológicamente en las antípodas de mis emociones.

El triste episodio del buque *Mavi Marmara* vuelve a apuntar en la diana de la actualidad el asunto de Gaza, muy olvidado por los medios de comunicación desde hace año y medio, pero no por ello inexistente. En esta ocasión, lo que ha hecho estallar la dinamita mediática ha sido un convoy de ayuda humanitaria que se dirigía desde Turquía al puerto de Gaza y que, poco antes de llegar a su destino, ha sido interceptado por la Armada israelí que pretendía, sin portar armas, hacer un registro del cargamento. Al final, la refriega entre los tripulantes y los militares se ha saldado con una decena de víctimas mortales.

Más allá del clamor antiisraelí, tan en boga en cierta prensa, los hechos son condenables y necesitan una reflexión serena, no antisemita por sistema. Israel tiene razones, pero las víctimas le inhiben de cualquier razonamiento.

Pero mientras tanto, todos estamos convencidos de saberlo todo sobre el conflicto de Oriente Medio. Lo cual es realmente prodigioso, porque se trata de uno de los enfrentamientos más embarazosos y ambiguos que hay en el mundo. Por lo tanto, no voy a ser yo el que ponga la solución en tan poco espacio de texto. Pero, pese a ello, ante la barbarie colectiva siempre nos refugiamos en la tal sabida reducción de buenos y malos. Reflexiones primarias, sin duda.

Está claro que en nuestra sociedad bicéfala los horrores abundan por doquier. Ahí están los casos de centenares de mujeres que padecen cada año el ataque con ácido en su rostro y en los genitales en países como Pakistán, Bangladesh o India y que se ha visibilizado en una magnífica exposición del Centro Andaluz de la Fotografía. O las carnicerías y genocidios perpetrados en Ruanda o en Sierra Leona. O el ahorcamiento de homosexuales en Irán. O la esclavitud de la mujer musulmana en muchas teocracias islamistas. Y sin embargo, es como si hubiéramos convertido esta cicatriz abierta en el centro de nuestros espantos más primitivos y mediante la cual hemos hecho universal la violencia.

Y mientras todo esto está ocurriendo, se perpetúan medias verdades respecto al conflicto. La prensa afín a la causa palestina y los terminales mediáticos con los que cuenta Hamás en Oriente Próximo han desplazado el centro del debate a una supuesta carnicería gratuita a la que se han entregado con deleite las tropas israelíes. ¿Manipulación? Seguramente, pero haciendo esto han ocultado astutamente la naturaleza y las intenciones del convoy, así como la verdadera ayuda humanitaria que sí que entra en la Franja de Gaza todas las semanas desde Egipto y en territorio israelí.

Por supuesto que es muy deplorable, sin duda alguna, la muerte de personas, lo cual les inmuniza contra la razón, pues la barbarie nunca es justificable, pero, desde mi punto de vista, que nadie se llame a engaño. Lo que se dirime en el conflicto de Oriente Medio es la continuidad de la libertad y los derechos democráticos sobre el terrorismo islamista y las dictaduras teocráticas y sangrientas. Supongo que tenía razón el escritor israelí Amos Oz cuando afirmaba que este es un conflicto entre dos derechos igualmente legítimos, el de los palestinos y el de los israelíes, un conflicto entre dos causas igualmente erróneas.

Españoles en el mundo... sionista

A estas alturas de la película, a nadie le puede extrañar que la posición de los medios de comunicación con Israel –oriundos de España o no- se caracterice por una argamasa sideral de manipulación, demagogia y de perjurio a la veracidad. Acaso sea este el motivo, por el que el conflicto entre israelíes y palestinos sea, sin ningún género de dudas, el conflicto donde se quebranta de manera más rotunda el código deontológico del periodismo. En efecto, cuando la noticia subyace en Israel, por arte de magia –o de maliciosa demagogia- deja de ser periodismo y se convierte en populismo y, por ende, en una falacia. Eso ocurre cada vez que se habla de Israel en la mayoría de la prensa española, motivo por el cual España es, en la actualidad, el país más antisemita de Europa, anclado en el pensamiento políticamente correcto de aversión hacia los judíos y que afecta a toda la clase política, mediática, social y titiritera. Esta afirmación, que alguno puede circunscribir en el paradigma de la subjetividad, vira hacia posiciones más objetivas si se corrobora con un estudio que publicó hace algún tiempo la Casa Sefarad que se hacía eco de una encuesta publicada en Estados Unidos de la mano del *PEW Research Centre*, en el que expresaba que los sentimientos desfavorables hacia los judíos en nuestro país se habían doblado en los últimos tres años. A la vista de estos datos, algunos se escudarán en el sempiterno subterfugio y en el baile de palabras de que no son antisemitas sino antisionistas. No obstante, ¿no les parece que el antisionismo es la falsa careta del antisemitismo actual que tan mala prensa debería tener? Con todo, ¿alguien tiene alguna duda de que la judeofobia en España no se desvaneció con el fin de la Inquisición, ni en Europa con el desarme de Auschwitz, Treblinka o Mauthausen y el fin de la Alemania Nazi?

Por eso, ¿a alguien le puede extrañar que Alberto Oliart, a la sazón presidente de Radio Televisión Española, haya censurado, por presiones propalestinas, un programa de *Españoles en el Mundo* grabado en Israel? ¿A alguien le extraña que la izquierda -antisemita por decreto genético- se sienta más cómoda con el grupo terrorista Hamás que con la única nación democrática de Oriente Medio? Cabría preguntarse, por tanto, ¿por qué el gobierno socialista y su guiñol telegénico, el Sr.Oliart, solo aceptan que pueda emitirse por televisión aquellas imágenes en las que a los judíos se les asigna un papel maligno o, como mal menor, su padecimiento en los campos de concentración? ¿Por qué tienen miedo a que se vea cómo viven en realidad los sefardíes en Jerusalén? Está claro. Eliminémoslo, vaya a ser que incomodemos a los islamistas y a la cuchipanda de la flotilla que, por otra parte, tantas adulaciones recibió por parte de la prensa española. Y es que no hay lugar a la duda. Algunos prefieren loar el fanatismo encarnado por una mala praxis del Islam que el amor por la cultura, personificado de forma notable en el pueblo judío; que algunos prefieren censurar la capacidad de instaurar una riqueza para todos y la cultura del esfuerzo y el conocimiento, por encamarse con la cultura del odio y el salafismo más atroz. ¿Prefiere nuestro gobierno, tal vez, el carácter fanático y suicida de los atentados en Occidente, en Moscú, en Nueva York, en Londres, en Bali, en Casablanca -amén de la opresión a homosexuales y mujeres- que el instinto de progreso de los judíos, que ni bajo el yugo del exterminio no se han cansado nunca de querer un mundo mejor en paz y en cuyo estado los homosexuales y las mujeres viven con dignidad? ¿Conoce el presidente de la televisión que pagamos todos los contribuyentes algún estado islámico democrático?

Poco importa, pues, a nuestra televisión que la historia de Israel sea uno de los capítulos más interesantes y extraordinarios de nuestra historia colectiva. Poco importa al ex ministro de defensa con UCD, que durante más de 3.300 años, Jerusalén haya sido la capital judía. Olvida, quizás, el Sr. Oliart, que Jerusalén no ha sido nunca la capital de ninguna realidad árabe ni mahometana. Poco le importa, pues, que después de la guerra de 1967, Israel aboliese todas las leyes discriminatorias promulgadas por Jordania y adoptara su propio sistema de leyes para garantizar el acceso a los templos religiosos. Poco le importa a la correa de transmisión de la doctrina socialista que nunca haya existido una tierra ni nación llamada Palestina. Poco le importa que los palestinos sean árabes, originarios de Siria, de Jordania, Líbano o Irak. Y, por supuesto, les importa un comino que Israel sea el único de los países de la zona donde los árabes puedan votar libremente, al tiempo que sea el único país de Oriente Medio donde las mujeres pueden votar y vivir sin exclusión. Ni estos datos objetivos, que parecen obviar, son válidos para que TVE haya retirado de su web el capítulo sobre Jerusalén del programa *Españoles en el Mundo* a petición de la defensora del espectador de la cadena, Elena Sánchez.

Con este infecto silencio, con esta censura, con este lenguaje y este comportamiento, con esta genuflexión al integrismo radical, Oliart silencia a Isaac Bashevis Singer, premio nobel por su apasionado arte narrativo que tenía sus raíces en la cultura polaco-judía. Silencia a la teoría de la relatividad y a Albert Eisntein; a la prosa disidente de Boris Pasternak, cuya obra cumbre fue Doctor Zhivago; a la sensibilidad de Felix Mendelssohn; a Gustav Mahler a Daniel Barenboim o a Anton Rubinstein. Silencia, por tanto, a los 173 judíos condecorados con el Premio Nobel. Silencia, pues, a la cultura, a la física, a las ciencias económicas, a la química, al progreso, al esfuerzo, a la capacidad de análisis y, por supuesto, a la paz.

Por eso, sobre todo ahora que Irán y el tirano de Teherán, Mahmud Ahmadineyad -y otras tantas dictaduras islámicas-, afirman que el Holocausto es un mito y que nunca existió, es hora de que el mundo no olvide lo inolvidable. Porque nunca hay que dejarse de preguntar el porqué, no solo con la intención de responder a lo que tanto nos importa y que nos sigue cuestionando, sino para que nadie vuelva a sufrir lo que padeció el pueblo judío durante la Alemania Nazi, así como en otros momentos de su historia. Porque, tal y como dijo Jefferson, el precio de la libertad es la eterna vigilancia. Por ende, combatir el antisemitismo, aunque sea denunciando la censura en un reportaje en televisión, forma parte de la batalla de la libertad, de nuestra libertad.

Falacias y mentiras en Oriente Medio

Según el diccionario, las falacias son el hábito de emplear falsedades para confundir a la gente. No es de extrañar, pues, que los políticos sean adictos a ellas. Pero no solo la clase política vive y sobrevive gracias a este narcótico que resulta imprescindible para ejercer el control y el poder sobre el ciudadano. Los medios de comunicación y también la opinión pública, en su gran mayoría, son esclavos de este viejo deporte universal. Por eso, no es de extrañar que sobre el conflicto de Oriente Medio no se informe, sino que se difundan una sarta de medias verdades y falacias con tal de sesgar la opinión e infundir en el ciudadano una opinión inexacta.

Y es que, en mi opinión, no hay ningún otro conflicto violento que genere tanta intoxicación y tanta manipulación informativa como el que se dirime en Oriente Medio. El penúltimo capítulo no es ajeno a tal principio. Israelíes y palestinos negocian por enésima vez la salida pacífica al conflicto que les viene enfrentando casi desde hace un siglo por el dominio de la misma tierra y la manipulación sigue en pie, puntual a la cita. La clase política y mediática del mundo occidental no cesa de propagar a los cuatro vientos las buenas intenciones y la buena nueva de la esperanza del fin del conflicto. Sin embargo, me van a permitir expresar mis toneladas de escepticismo que tengo al respecto, sustentadas, quizás, en demasiados años de fracasos, en problemas insondables entre ambos gobiernos y en tantos intereses ocultos.

Tal vez sean estas las razones por las que todos los procesos de paz en Oriente Medio estén marcados por un profundo desasosiego, por un sempiterno debate entre buenos y malos, entre víctimas y opresores, entre conquistados y conquistadores. Debate que, por desgracia, continúa vigente en estos tiempos en los que a pesar de que las nuevas tecnologías han abierto las puertas a la fluidez de la cultura y al conocimiento universal, el buenismo de cierta izquierda progre y de cierta derecha han condenado casi a la inanición al pueblo judío, achacándole todos los males. Y ahí radica en parte, quizás, mi profundo pesimismo. El sectarismo y el antisemitismo por bandera.

Si volvemos la vista atrás, veremos que casi todos los presidentes norteamericanos, cada uno a su manera, han soñado con pasar a la historia arreglando el conflicto palestino-israelí. Todos son conscientes de la importancia que tendría en la historia universal y en su carrera en particular. Todos lo intentaron en nombre de la paz, sin que ninguno haya llegado a rematar sus esfuerzos con el éxito. Posiblemente, quien más cerca estuvo fue Bill Clinton, allá por el año 2000, pero sus intentos cayeron en saco roto como consecuencia de la segunda Intifada, es decir, de la rebelión de los palestinos de Cisjordania y la Franja de Gaza contra Israel. El Gobierno israelí liderado por Ehud Barak ofreció a los palestinos la práctica totalidad de sus exigencias a cambio de la paz, inclusive con la falta de apoyo de su propio pueblo. Pero Yasir Arafat la rechazó y articuló su última fechoría: una guerra que sesgó la vida de miles de personas.

Como todos sus antecesores en la Casa Blanca, Barack Hussein Obama, también está dispuesto a intentarlo aunque, a mi juicio, coartado por el mundo musulmán, cuyo acercamiento al invento de la alianza de las civilizaciones le lleva a determinar que el apoyo estadounidense al estado democrático israelí es un impedimento para alcanzar tal fin. En todo caso, el compromiso de Obama al involucrarse en el conflicto abre, sin duda, una encrucijada a la esperanza. Ergo, estamos ante una oportunidad de volver a creer que la ventana no se vuelva a cerrar de cuajo, como ha venido sucediendo en las anteriores ocasiones. Pero, no nos engañemos. Palestina no es el enemigo de Israel y viceversa. El enemigo de ambos pueblos, al igual que el de Occidente, es el mismo: el salafismo más radical que se está colando por nuestras ventanas, con total impunidad. Sin embargo, tengo la sensación que no estamos haciendo todo lo posible para evitarlo. Espero equivocarme.

Cristianofobia

Para algunos resultaría por lo menos una provocación afirmar que un virus dictatorial parece que se ha colado en nuestra vida social y que predomina por doquier en el debate de las ideas. Me refiero a la dictadura de lo políticamente correcto. A lo que molesta. A lo que no está de moda. Y si algo parece que está *démodé* es defender el cristianismo y formar parte de la soledad de los ecuánimes. Por suerte, estoy vacunado y provisto de anticuerpos contra la fauna diversa que escudándose en el cacareado laicismo critican a aquellos agnósticos que queremos alzar la voz en favor de tantos cristianos bárbaramente oprimidos por la estupidez humana en los confines planetarios en nombre de algún Dios, sobre todo en las sanguinarias dictaduras islámicas.

Desgraciadamente, el año que se ha iniciado empieza con una noticia horrible para aquellos que creemos en la libertad y para Occidente en general. El atentado perpetrado en Egipto ante una iglesia cristiana copta cuando los fieles salían de la misa de Año Nuevo dejando una veintena de muertos y más de setenta heridos, es un atentado no solo contra una confesión, sino contra los valores que representa. Podría pensarse que se trata de un caso aislado, fruto de los delirios de un grupo terrorista residual. Pero los hechos nos demuestran lo contrario. Hace algunos meses se produjo un brutal ataque en Bagdad de fundamentalistas musulmanes contra los fieles reunidos en la Catedral católica de Bagdad y que causó la muerte de cuarenta y dos personas. O la matanza de Nigeria el pasado mes de marzo, cuando decenas de ganaderos de la etnia fulani, de mayoría musulmana, asesinaron a más de quinientas personas de la etnia berom, que profesa el cristianismo.

Todos estos casos, tienen algo en común: se mueren en su propio odio. Mientras se encomiendan al profeta, ponen una vela a Alá y otra al diablo. Abominan a Occidente y les carcome su fanatismo. Reclaman tolerancia en los países occidentales levantando mezquitas mastodónticas -bajo el paraguas de la integración- mientras machacan ferozmente a los que profesan otra religión en sus teocracias. Y no solo eso. Se saltan las leyes de protección animal en Cataluña, celebrando salvajemente la matanza de corderos durante la fiesta musulmana del sacrificio o Eid al Adha, degollándolos vivos, sin que ningún estamento público mueva un dedo, no vaya a ser que les molestemos. A la vista de todo esto, ¿a alguien le puede caber la menor duda que mientras nos arrastramos en una pantomima de Alianza de Civilizaciones, paradigma del buenismo crónico y enfermizo, esta gente se alía en una notable Alianza de incivilizados? Y es que la lista de regímenes comunistas e islámicos, que en esto siempre van de la mano, que hostigan a los cristianos, debería conmocionarnos hasta el tuétano. Sin embargo, nos importa muy poco. De hecho, no me asombra la frialdad con que se acogen en Occidente las noticias sobre la persecución, asesinato y acoso que sufren los cristianos a manos de los fanáticos seguidores del islam y del comunismo más trasnochado y siniestro.

De hecho, aunque el régimen comunista y estalinista de Corea del Norte sigue siendo el peor territorio del mundo donde profesar la fe judeocristiana -puesto que cualquier actividad de carácter religioso es considerada como una acción insurrecta contra el Estado coreano-, Irán es el paradigma de la opresión a los cristianos, el foco del integrismo y la faz más visible de la privación más absoluta de los derechos humanos. No mucho mejor es la situación en Arabia Saudí, donde siguiendo los preceptos del profeta Mahoma de que en Arabia solo pueden vivir musulmanes, a los pocos cristianos que hay en el país (todos extranjeros) no se les permite la adoración pública ni pueden llevar consigo biblias o rosarios. Del mismo modo, la situación en los Emiratos Árabes Unidos dista mucho de ser cuando menos idílica y se persigue atrozmente a quién ose decir que es cristiano. Pero, ¿qué se puede esperar de un país cuyo Tribunal Supremo acaba de dictaminar que la mujer vale la mitad que el hombre?

El último caso conocido es el de la campesina Asia Bibi, una paquistaní cristiana condenada a la horca bajo la acusación de blasfemia por insultar a Mahoma. Bibi fue enviada a buscar agua mientras trabajaba en un campo. Pero el resto de mujeres, seguidoras del Islam, se opusieron a que ella fuera porque, al no ser musulmana, contaminaría el recipiente y lo haría impuro. Por ello, le exigieron que abandonara el cristianismo y que se hiciera musulmana, a lo que ella se opuso. Lleva año y medio en prisión. Y mientras todo esto ocurre y Occidente practica la genuflexión por omisión, un imán protalibán de una importante mezquita de la ciudad de Peshawar, en el noroeste de Pakistán, se jacta de ofrecer una recompensa de casi 4.400 euros a quien mate a Asia Bibi.

Por supuesto, que no hemos oído a la progresía condenar los atentados o el arresto de la mujer paquistaní. Si fueran coherentes, ¿no habría que protestar del mismo modo que defendieron a la activista saharaui Aminatou Haidar, expulsada ilegalmente de El Aaiún? Claro. Pero no está de moda defender a los cristianos, que son muy reaccionarios y convocan misas populares en Madrid para sus fieles. Pero si por el contrario se tratase de una oración de los fieles musulmanes en la Castellana, cortando las calles, a más de uno le entraría un orgasmo democrático hablando de la multiculturalidad y de tolerancia con las minorías religiosas. Huelga decir que no he visto tampoco ninguna declaración de aquellos musulmanes que se vanaglorian en afirmar que los asesinos son una ínfima minoría. Ni, por supuesto, no espero ningún comunicado del mundo islámico condenando los hechos, no solo los de Egipto, Nigeria o Irak, sino los de cada día. Una condena expresa por la cantidad de cristianos torturados, hostigados, vapuleados o condenados a muerte en países islámicos. Me temo que nunca llegarán.

Con todo, uno no deja de ver continuamente declaraciones de musulmanes expandiendo un mensaje de odio y llamando, por ejemplo en Reino Unido, a aniquilar Occidente durante la visita del papa a Londres. O a imanes en Cataluña intentando aplicar la Sharia en España. Y mientras tanto, la Cruz Roja británica ha prohibido la Navidad en sus 430 tiendas de recaudación de fondos. ¿El motivo? No lastimar a los que no la festejan, especialmente a los musulmanes. ¿Hasta cuándo vamos a tolerar a la ideología más intransigente y violenta jamás creada sobre el planeta?

¡Que vienen los salafistas!

Modernizar el Islam o islamizar la modernidad. Este juego de palabras, que a simple vista podría parecerles un argumentario trivial, engloba tras de sí toda una reflexión sustancial para las libertades de occidente. Y es que en las últimas fechas hemos podido comprobar la acritud, la realidad y las intenciones del salafismo más radical afincado en España. Desde Tarragona hasta la periferia de Barcelona, expandiéndose a través de mezquitas ubicadas en localidades con un alto porcentaje de inmigración musulmana. De hecho, las investigaciones llevadas a cabo en Cataluña por los *Mossos d'Esquadra* resultan verdaderamente alarmantes. No solo porque, a la vista de los datos, un número no pequeño de extremistas mantienen relaciones con otros grupos internacionales, sino que, además, aprovechan el dominio de las mezquitas como fuente de ingresos al mismo tiempo que ejercen un control sobre los musulmanes. No solo porque además de intentar controlar la moralidad de las mentes, al más fiel estilo estalinista, estos hijos de Alá no tienen reparos en afirmar que pertenecen a una corriente que propugna la pureza del islam y que se deleitan lapidando a mujeres adúlteras, cuyo pensamiento establece que es peor ser adultera que morir asesinada. Una corriente que aniquila a homosexuales y demás transgresores de la ley del Profeta, ergo la homosexualidad, el amor libre y otros actos impuros no caben en el Islam.

Pero además, se ha encontrado abundante material que sostiene que el hombre es el culpable de la liberación y la insubordinación de las mujeres por la mala costumbre de refugiarse en las leyes occidentales. No bromeo. El error es del hombre por consentir a las mujeres ver la televisión cuando han sido creadas por Alá a su imagen y semejanza para obedecer a sus maridos y ocuparse de los asuntos del hogar. Y si no, que se lo digan a una mujer de Coín (Málaga) que fue obligada por su marido a dormir durante varias semanas en el suelo al tener constancia que estaba asistiendo a un curso de integración impartido por un hombre. Sí, ese era su único pecado. Demos gracias a que no fue lapidada por ello.

Del mismo modo, destacan que es obligado a todo musulmán combatir y matar a los enemigos del islam, haciendo uso de las mutilaciones de manos, brazos y otros miembros de los paganos si fuera necesario; tradiciones ilustradas que ansían difundir en España, tal y como comentaba un imán de Alcalá de Henares. Pero no se trata de un asunto local sino que es transversal a todo Occidente. De hecho, en Reino Unido se ha emitido un reportaje en el que varias mujeres, en la mezquita de Regent's Park, Londres, piden al resto de los fieles que colaboren para matar a apóstatas de su propia religión y a homosexuales.

Así que si los datos de esta radicalización ya son de por sí cuando menos preocupantes, lo más importante, a mi juicio, es que nunca antes habíamos tenido a tanta gente haciendo espasmos sobre las bondades de esta ideología totalitaria tan perniciosa para la libertad. Y digo perniciosa porque creen que Dios es el origen de sus locuras y que, por tanto, la democracia es un demonio que hay que combatir y exorcizar. Pero además de promulgar este fanatismo patológico, las mujeres no tienen derechos y a los homosexuales hay que ahorcarlos, cuán pobres galgos, o condenarlos a pena de muerte por la *sharia* o ley islámica que no entiende, en todo caso, que la libertad es el primer pilar fundamental para el respeto, la vida y la dignidad.

Pero si no tuviéramos bastante con esta apología salafista, no podía faltar en el festín la guinda del pastel: la dosis usual de antisemitismo. Me refiero a un sermón encontrado en una grabación que sostiene que es imposible que los ataques del 11-M de Nueva York fueran perpetrados por islamistas radicales. Resulta que todo se debe a una conspiración judía, ya que de los más de mil judíos que trabajaban en el World Trade Center todos salieron ilesos. Ríanse ustedes del Protocolo de los

Sabios de Sion. Sí, aquella publicación antisemita ampliamente distribuida en la época contemporánea (publicada por entregas en 1903 en un diario ruso, Znamya) cuyas mentiras sobre los judíos, que han sido desacreditadas repetidamente, continúan circulando hoy en día, especialmente por Internet. Tampoco me extraña. Al final los extremismos salafistas y los individuos y grupos que han utilizado los Protocolos están unidos por un propósito común: sembrar el odio a los judíos.

Y mientras todo esto está aconteciendo en Occidente, con el beneplácito de los buenismos de izquierdas y de derechas, tenemos un problema monumental. Pero aquí estamos con Alianza de civilizaciones y no queriendo prohibir el burka, que es la primera cárcel por donde se nos está colando el islam más radical. No tengan ningún tipo de dudas. Serán terriblemente fanáticos, pero no tienen ni un pelo de tontos.

Como ser una buena madre de terrorista

Poco puede sorprender el desconcierto y la indignación que producen este tipo de noticias. Como si no tuviésemos anticuerpos contra el dolor y la inmunidad no fuese efectiva contra ciertos avatares de la historia. Como si no hubiéramos comprendido las infinitas muestras de totalitarismo y de maldad que el islamismo nos ha enviado desde que Occidente en general y las mujeres en particular son la obsesión por excelencia del integrismo más radical. Nunca han engañado a nadie. Primero fue con los atentados de Nueva York o Londres y su odio a Estados Unidos por todo lo que significa. Es decir, libertad individual, nación y propiedad privada. Más tarde con el ahorcamiento y la fustigación de homosexuales en Irán y en otros países. Después con la lapidación de mujeres y la condena a muerte de la cristiana Asia Bibi, solo por el hecho de no someterse a los designios del fanatismo religioso. Todo ello sin que el orden de los factores altere el producto. Así que tras estos capítulos de los despropósitos y el bochorno sideral, faltaba la publicación de Inspire, una revista para jóvenes musulmanes en Occidente destinada a extender la guerra santa global, y editada en árabe, pastún e inglés. Así que, ¿nos debería sorprender que tras el tumulto que trajo consigo apareciese ahora su versión femenina? No debería si tenemos en cuenta que el Islam llevado hasta el extremo es propio de una misoginia patológica que reduce a la mujer a la nada y cuya presencia en esos países se sostiene impertérritamente en la sumisión al hombre y a un *apartheid* integral.

Uno podría pensar en su ingenuidad que la revista sería comparable a otras similares de occidente -y cuya popularidad disparó una serie de televisión cuyas cuatro protagonistas contaban sus andanzas con la ciudad de Nueva York de fondo-. Pero, desgraciadamente, no es el caso. Solo hay que leer una de las páginas a todo color de Al Shamikha, sufragada por la propia Al Qaeda, para darse cuenta de que entre los habituales consejos de limpiezas faciales y exfoliantes, se incita a las mujeres musulmanas al yihadismo radical mediante la violencia y el terrorismo.

Es decir, con esta especie de Cosmopolitan neoterrorista, que convierte a las mujeres en meros trapos con patas, la banda terrorista trata de adoctrinar a las mujeres musulmanas en el salafismo más siniestro.

Y es que debe ser de lo más normal educar a las mujeres en cómo colocarse el burka, manipular bombas o cómo ser una buena hija, madre o esposa de terroristas suicidas. Por tanto, en cómo deben educar a sus retoños para que llegada su etapa adulta, se conviertan en buenos asesinos por Alá. Y estas son solo algunas de las dádivas de la publicación. Todo digno de instintos enfermizos cuya obsesión por controlar las mentes no tiene fin. Pero por si esto no fuese poco, cuando pretende aleccionar sobre la belleza se produce una mezcla por igual de arcadas y de rabia. No solo porque la revista se explaya en cómo llevar el velo islámico como lo indica el propio Alá, lo cual es falso de toda falsedad por cuanto no hay una prescripción coránica ni ningún versículo ni ningún texto de la Sunna que obligue a las mujeres a vivir en esa prisión de tela. Sino porque, además, aconseja a las mujeres en cómo comportarse si sus maridos les dejan salir a la calle indicándoles que no hay que caminar mirando a izquierda y a derecha sino hacia abajo para así no caer en el pecado. Por tanto, las mujeres que lean la revista deben tener claro su cometido. Que su belleza no debe ser deleitada por ningún hombre que no sean sus maridos. Ponte el burka y acata la voluntad de Dios, les dicen con desprecio. Eso sí, sin rechistar. El silencio ante todo.

Tenía toda la razón, pues, la ex diputada holandesa de origen somalí Ayaan Hirsi Ali- amenazada de muerte por defender la libertad de la mujer- cuando afirmó que el enemigo del Islam no son las mujeres que defienden la libertad. El enemigo está en casa y utiliza a Dios en pro de una ideología malvada. ¿Olvidamos que el cineasta holandés Theo Van Gogh fue asesinado por haberse atrevido a realizar un documental sobre el Islam? La cuestión, ahora, es si nuestra casta política - auténtica maestra en jugar a ser kumbayás multiculturales- sobre todo la cuota oficial y oficiosa, con sus ministras a la cabeza- sabrán interpretar fehacientemente la enésima vulneración de los derechos humanos y, por ende, de la mujer o, por el contrario, seguirán inmersos en la pesquisa de la ingenuidad ante determinadas prácticas integristas. ¿Entenderán lo que está pasando o aún creerán que se trata de libertad de expresión o alianza de civilizaciones? No nos engañemos. Occidente y sus valores no son un enemigo más para el yihadismo. Son el epicentro de todas las locuras de una ideología que no solo es lesiva contra los derechos humanos y la libertad de la mujer, sino que es totalitaria, antisemita y enfermiza y que aspira a descomponer nuestra cultura y nuestras tradiciones, imponiendo sus obsesiones a base de miedo, chantaje, violencia y, sobre todo, gracias a los complejos y a la memez libertaria y trasnochada de Occidente. No nos engañemos. Semejantes comportamientos ya están ocurriendo en nuestros países. La gran pregunta radica en saber hasta cuándo estamos dispuestos a permitirlo. Sin embargo, mucho me temo que esta cuestión le importa muy poco a mucha gente sobre todo a aquella que se ampara en una mala praxis de la dichosa tolerancia.

¿Y si gobernara Le Pen?

Leo en *Le Parisien* que la líder de la extrema derecha francesa, Marine Le Pen, quedaría en primera posición en la primera vuelta de las elecciones presidenciales del 2012 en Francia, en caso de enfrentarse al presidente Nicolas Sarkozy y al socialista Dominique Strauss-Kahn, el actual director gerente del Fondo Monetario Internacional. El sondeo de Harris Interactive para el rotativo del grupo Amaury, confirma una encuesta anterior, publicada en el mismo diario y que daba por primera vez a la presidenta del Frente Nacional (FN) la primera posición en intención de voto en la primera vuelta de las presidenciales francesas. En la nueva encuesta, Marine Le Pen logra un 24% en intención de voto, seguida por Dominique Strauss-Kahn (23%) y Nicolas Sarkozy (21%).

Esta encuesta -que como todas hay que evaluarlas en su justa medida- son, sin embargo, síntomas irrefutables de una marea de fondo en la que se combinan diversos factores de gran calado en una democracia. En primer lugar, deja patente que existe un abismo entre la casta política y la sociedad civil, harta de discursos vacíos, de políticos sin escrúpulos, de los múltiples experimentos sociológicos del buenismo, del despilfarro, de la fatiga como consecuencia de la crisis, de la corrupción y, por supuesto, del alegre crisol multicultural en el que vive una clase política que, sin tener contacto con la realidad, continúa pregonando a voz en grito el mantra de que la inmigración es, o bien una gran *gymkhana* de progreso, o bien el restaurante kumbayá de moda que aspira a varios tenedores. Y todo esto mientras viven en la burbuja en la que están instalados. Y, en segundo lugar, que la sociedad francesa empieza a hartarse del dogma del pensamiento único y de los dictados de lo políticamente correcto. Especialmente, los franceses de clase trabajadora, paradigma de la convivencia en los HLM, *Hébergement à loyer modéré,* por sus siglas en francés. Es decir, pisos de alquiler asequibles para familias con pocos ingresos y que están hasta el gorro de tragar saliva y de pagar impuestos, levantándose a horas intempestivas para ir al trabajo, mientras observan a diario como algunos vecinos delinquen, a la par que otros viven de la sopa boba y de las cuantiosas ayudas sociales que la República les regala.

Y así, aprovechando que el Sena pasa por París, los lepenistas se han agenciado, así como el que no quiere la cosa, del segmento de población que se ha sentido huérfano políticamente hablando. Y todo porque ante los retos que siempre plantea la inmigración en los barrios obreros, sus habitantes no han encontrado respuestas. La izquierda francesa, como la europea, se ha apuntado a la errática corrección política. Y mientras hacía odas de su tolerancia congénita y de derechos para todos, sus políticas de convivencia brillaban por su ausencia. O, en el peor de los casos, lo justificaban bajo el eufemismo de cohesión social. Y la derecha, acomplejada como de costumbre, ha callado so pena de ser denigrada por la izquierda y de ser tildada de descendiente del fascismo más atroz. De manera que, entre tanto bobo de la bobería y tanto discurso vacío, en algunos barrios los discursos de Jean Marie Le Pen y ahora la de su heredera, su hija Marine, han sido recibidos con euforia.

De hecho, ¿qué cabría esperar, por ejemplo, de los vecinos que levantan las persianas de sus balcones en Barbès, en París, y lo primero que ven es que su calle se ha convertido en una prolongación de las mezquitas, con centenares de musulmanes rezando arrodillados? No nos engañemos. Son los mismos vecinos que durante el ramadán no pueden dormir por el bullicio o, en el peor de los casos, por los gritos de los corderos degollados, en nombre de Alá, mediante el rito halal -sin importarles un rábano las leyes de protección animal. Todo esto, mientras se sienten extranjeros en su ciudad. Y eso teniendo en cuenta que actualmente en Francia viven más de cinco millones de musulmanes y existen más de dos mil mezquitas. Poca broma. Por tanto, ¿a alguien le puede extrañar que opten por dar su voto a la extrema derecha, aunque sea circunstancialmente o sea un voto con el estómago más que con la cabeza?

Huelga decir, que es harto improbable que los lepenistas lleguen a gobernar en Francia. No porque sea imposible que el electorado les dé su apoyo, lo cual no puede descartarse, sino porque los de siempre enseguida apelarán al voto del miedo ante el riesgo de lo que ellos identifican como vuelta al fascismo y sus factores condescendientes: racismo y xenofobia. En ese caso se unirían los votos del Partido Socialista y de la UMP del presidente Sarkozy para evitarlo. No obstante, esto debería servir para que reflexionáramos como sociedad y, sobre todo, acerca del modelo de convivencia que queremos. La inmigración es un tema complejo que merece una reflexión serena. Sin embargo, cerrar los ojos a los problemas que conlleva –y esa ha sido la política europea al respecto–, es una irresponsabilidad en un debate que necesita el rigor de la sensatez y no la demagogia de la misericordia progre. Luego, vendrá Le Pen y veremos rezar ante el sagrado sacramento a muchos de los que hoy promulgan la gymkhana chupiguay de papeles para todos y demonizan a los que, sin complejos, criticamos el salafismo radical y la islamización de Europa, mientras alientan el eterno mantra de que viene la extrema derecha. Tiempo al tiempo.

La opresión cubana

Si hay algo que caracteriza a las dictaduras, y España puede hablar con certeza de ello, es el silencio que rodea a las víctimas. Sin embargo, hay algo peor: que además te denigren y que las difamaciones vengan de una parte importante de la izquierda española. Eso es lo que ha hecho el actor Guillermo Toledo, afín a Izquierda Unida, afirmando que el preso cubano Orlando Zapata, fallecido tras casi tres meses en huelga de hambre y reconocido como prisionero de conciencia por Amnistía Internacional, fuera un delincuente común, no un disidente político. No me extraña viniendo de alguien que defiende la dictadura del país caribeño. Su tesis coincide con la doctrina oficial del Gobierno cubano, expresada a través del diario Granma, el diario oficial del régimen cubano.

Lamento incomodar a algunos estamentos oficiales u oficiosos del progresismo español, pero produce arcadas que aquellos que dicen pertenecer a las ideas de progreso sean los defensores del crimen político en Cuba y que afirmen que no ha habido un solo caso de tortura, asesinato o desaparición en el régimen castrista. Mienten y lo saben. Acaso, ¿no era Zapata el prototipo de la víctima que dio su vida por la libertad? Por supuesto, pero a esta izquierda complaciente y que ampara la barbarie castrista desde hace años, el silencio les pone en evidencia. ¿Por qué si no la izquierda española continúa con este mutismo cómplice cuando la Sociedad Interamericana de la Prensa (SIP) sigue denunciando el encarcelamiento de decenas y decenas de periodistas por el simple delito de denunciar las atrocidades del régimen castrista? ¿Por qué no se hace eco la izquierda española de los desaparecidos en el estrecho de Florida, algunos ametrallados en la noche, padres e hijos, víctimas de los secuaces de Castro?

Y sin embargo, Toledo ha comparado la huelga de hambre de la activista saharaui Aminatu Haidar con la de Orlando Zapata señalando que la diferencia fundamental es que Haidar, además de pacífica, es una defensora de los derechos humanos, que ha cumplido años y años de agresiones y torturas. Lástima que seamos muchos los que no nos hayamos enterado que Zapata cometiera el pecado de pertenecer a un grupo de disidentes del régimen ignominioso que luchaban por algunos derechos fundamentales y por la libertad de sus conciudadanos, lo que le costó veintitrés años de cárcel, sin ni tan solo ser reconocido como preso político.

Por fortuna, el fin de la tiranía es irrevocable y sucederá más pronto que tarde, mal que les pese a algunos. Mientras tanto, con una resistencia casi numantina, algunos cubanos continuarán intentando sobrevivir o huir del país a la menor oportunidad. Desgraciadamente, los cubanos no tienen un componente genético disímil a tantos otros pueblos que han subsistido oprimidos durante años. Lo triste es que algunos no quieran verlo.

El infierno cubano

No estaba mucho por la labor de escribir sobre Cuba y sobre los presos cubanos. No porque no compartiese el viaje a la isla del ministro Miguel Ángel Moratinos con la excusa de liberar a varios presos. Es seguramente por el cansancio que me produce la vaguedad de la izquierda respecto al régimen castrista lo que me pesaba y me retraía a escribir. Pero estos días, degustando el libro *Cuba Libre* de la bloguera cubana Yoani Sánchez, la cabeza visible del movimiento democrático en Cuba a través de su exitoso *blog* Generación Y, he cambiado de opinión. Aunque es paradójico, porque disfrutar con un libro cuyo contenido denuncia acérrimamente la realidad cubana, lo que le ha costado la censura directa, e incluso la violencia física por parte de la dictadura comunista, es cuando menos insólito. Pero su historia, su valentía en el ansiado anhelo de democratizar Cuba es un ejemplo para todos. Pero no solo Yoani Sánchez. Es admirable, también, el ejemplo de Guillermo Fariñas, el fallecido Orlando Zapata, las damas de blanco y tantos otros disidentes que, de un modo silencioso, se enfrentan cada día a la dictadura miserable que inunda la isla. Por eso, por la memoria y la dignidad de las víctimas de la dictadura, creo que es necesario destapar los entresijos de la visita del ministro Moratinos a Cuba.

Aunque para muchos sea un motivo de alegría que un preso de conciencia salga de las cárceles cubanas, con la mediación de la Iglesia católica cubana, hay que preguntarse si la noticia en sí es digna del regocijo popular que ha desatado. Ahora, algunos de ellos viven en un hostal barato localizado en un inhóspito polígono industrial del madrileño barrio de Vallecas (donde termina la ciudad). El baño es compartido y, pese a las altas temperaturas, no hay aire acondicionado. Cada semana reciben un bono de transporte de diez viajes para movilizarse por la ciudad, en autobús o en metro. Sin embargo, lo más importante es que, a pesar de estar bregando con el calor y la estrechez, están aprendiendo a vivir en libertad y a pensar en democracia. Y no es fácil.

A mi juicio, no estamos más que ante una acción propagandística por parte del tirano de La Habana. ¿Se puede considerar una buena noticia la excarcelación de cincuenta presos políticos para enviarlos al destierro? Ni mucho menos. Por varias razones. En primer lugar, porque todos ellos eran personas libres, eufemismo más emocional que real en la Cuba castrista, antes de cometer el pecado de disentir de las posiciones oficiales del líder cubano. En segundo lugar, porque, no nos engañemos, no existe tal liberación. Lo que hay es una conmutación de pena. Por tanto, creerse que esto significa una evolución en una dictadura criminal es de una inocencia máxima. Y, sin embargo, eso es lo que nos intenta vender el ministro Moratinos, que dicho sea de paso no se prodiga por los lares del sentido común. No juzgo en vano. Revisemos, si no, su *curriculum vitae* de los desatinos y veamos cómo se entretiene con los tiranos. Para él, Yasir Arafat no era más que un glorioso jefe de Estado, cuando para muchos no era más que un terrorista. Es un entusiasta de la genuflexión permanente ante el régimen teocrático de Marruecos, al que considera como un gobierno amigo. Y, por último, se encama a conciencia con Mahmud Ahmadineyad, cuyo régimen asesina a homosexuales por considerarlos hijos del demonio saltándose, por consiguiente, los principios internacionales de los derechos humanos.

Pero no les quepa ninguna duda. Al castrismo le viene muy bien este movimiento ajedrecístico bien estudiado y que le ha salido a un módico precio. Porque, al fin y a la postre, mantiene la condena a sus disidentes cambiando su castigo en el destierro. Jaque. Pero, además, vende una imagen al exterior dando a entender que está dispuesto a cambiar. Mate. No sé si lo conseguirá. Supongo que dependerá del éxito de la campaña internacional de difusión en los medios, que me temo que será por doquier y rica en demagogia. Pero si lo consigue, la dictadura comunista habrá vuelto a lacerar la democracia y conseguido su doble objetivo. Se habrá librado de la incómoda presencia de sus presos y, encima, habrá recibido reverencias.

Por suerte, Cuba ya no es esa leyenda adolescente, el símbolo mundial de la rebeldía juvenil. Cuba es una dictadura represora que devasta la fragilidad de los derechos civiles, concepto que ni se plantea en la isla porque es una utopía. Porque Cuba es la negación persistente de la condición de personas a sus ciudadanos hasta convertirlos en simples instrumentos al servicio de la revolución. Y todo esto ocurre mientras condecora y vanagloria a corruptos, dictadores y asesinos, tales como Ceaucescu o Mugabe. El régimen cubano es, en definitiva, una vergüenza y una perversidad que hay que combatir. Pero mientras tanto, en España estamos con la tolerancia innata hacia las tiranías internacionales. Sospecho que tenía razón Chesterton cuando decía que la tolerancia es la virtud del hombre sin convicciones. ¿Se refería a Moratinos? A mí no me cabe la menor duda.

Las cárceles de Castro

John F. Kennedy dijo en cierta ocasión aquello de que la gran enemiga de la verdad no es la mentira, premeditada, efectista y deshonesta, sino el mito persistente, persuasivo e ilusorio. Con la tiranía cubana, por desgracia, se cumple este aforismo. Máxime cuando la inmensa mayoría de la izquierda, durante cincuenta largos años, se ha mostrado complaciente ante la tiranía del castrismo. ¿Acaso no era Orlando Zapata el prototipo de víctima que dio su vida por la libertad en Cuba? Por supuesto. Pero para esta izquierda servicial solo era un delincuente común o un sujeto que cometió actos terroristas contra el Gobierno cubano –Willy Toledo dixit-.

Vaya por delante, que no es mi intención irritar a ciertos estamentos oficiales u oficiosos de la progresía patria, con honrosas excepciones como Ciudadanos y UPyD, a los que muchos imploramos con vehemencia que haya una tercera vía conjunta, pero produce arcadas que aquellos que dicen defender las ideas de progreso sean los defensores del crimen político en Cuba y que se vanaglorien en afirmar que no ha habido un solo caso de tortura, asesinato o desaparición en el régimen castrista, amén de libertad de expresión. Salvo, huelga decir, cuando el régimen dictatorial expulsó de la isla al corresponsal del diario oficial del *agit-prop* gubernamental, acusado de informar de forma parcial y negativa de la realidad cubana. Cuando la dictadura invade tu propio espacio se produce el milagro de la conversión. Aunque solo sea porque resulta difícil seguir negando la evidencia, sobre todo cuando los beneficios económicos penden de un hilo. Y ya sabemos el apego que tiene el PSOE y sus hermanos mártires mediáticos por los asuntos económicos. Pese a todo, semejante hecho pone de nuevo de manifiesto la falta de libertades en Cuba y un motivo más, si cabe, para condenar al régimen tirano de los hermanos Castro.

Con todo, poder destapar la realidad de las cloacas del régimen es un asunto arduamente duro. Por ello es absolutamente admirable que el Observatorio Cubano de Derechos Humanos haya decidido recrear en el Parque de Berlín de Madrid una de las 230 cárceles cubanas en la que se encuentran confinados centenares de cubanos, cuyo único delito ha sido pensar de forma diferente de la dictadura. Pero ya sabemos de la obsesión de los tiranos de controlar las mentes de sus súbditos, para lo cual es imprescindible acabar con la disidencia incómoda. Sin embargo, haciendo uso de la hemeroteca resulta desalentador comprobar cómo la comunidad internacional en particular y la opinión pública en general montaron en cólera al descubrirse la aplicación de torturas en Guantánamo -lo que instigó numerosas condenas y el reclamo al gobierno norteamericano de su cierre- comparándola con la indiferencia ante la bochornosa situación de las prisiones en Cuba.

Y es que, pese al silencio congénito, uno no puede más que impresionarse ante la crudeza, el dolor, la hambruna, la soledad y la ignominia que se respira cuando uno vislumbra esa recreación de la cárcel de Canaleta, en la provincia cubana de Ciego de Ávila. Uno no puede más que abochornarse ante ese calabozo infecto y repugnante, paradigma de la falta de libertad. Uno no puede más que sonrojarse ante ese zulo en el que estuvieron apilados presos políticos como Alejandro González Raga o Raúl Ribero, víctimas ambos de la Primavera Negra de 2003. Tal vez por ello, algunos nos negamos a olvidar que allí pasaron encerrados y sometidos a las vejaciones más horrendas con el visto bueno de la dictadura castrista y con el olvido por bandera, otra forma furtiva de tortura. Algunos nos negamos a callarnos ante la afrenta de que esos mismos presos no tengan la oportunidad de sentar en un banquillo a aquellos funcionarios de prisiones que les hayan maltratado o hacer público semejante trato a los medios de comunicación cubanos. Y no pueden porque en Cuba, en ese oasis de la libertad y los derechos humanos, la justicia y los medios de comunicación están controlados por el régimen comunista. Un oasis quimérico en que nadie puede hablar, unos por miedo a represalias y otros por no disponer de medios suficientes para alzar su voz. De este modo, tener la oportunidad de entrar en ese calabozo castrista revela, sin lugar a dudas, la verdadera faz de una dictadura que tristemente todavía cuenta con demasiados incondicionales que prefieren mirar hacia otro lado mientras la vida de muchos cubanos se agota en medio de un suplicio interminable.

Y ante esta infamia, una responsabilidad considerable hay que adjudicársela a esa izquierda excéntrica que considera a Cuba ese paraíso de la democracia verdadera, ese arquetipo de la solidaridad obrera y de la sanidad universal, cuyo atentado contra los derechos humanos es solo una tara de un régimen revolucionario. Pero poco puede extrañar. Es la misma izquierda que mantiene un trato beligerante contra Estados Unidos e Israel y los considera el causante de todos los males. Y es ese mismo odio lo que ha llevado a silenciar informativamente en los medios de la progresía el acto de la disidencia cubana en Madrid. Sin embargo, no me extraña en absoluto. Parafraseando a George Orwell no se establece una dictadura para salvaguardar una revolución, se hace la revolución para establecer una dictadura. Por tanto, los mismos que defienden las bondades del castrismo suelen aceptar de buen grado la de los regímenes fundamentalistas islámicos. Y mantienen, por tanto, un silencio infecto ante la opresión de la mujer, la falta de libertades en los países islámicos y la persecución a los homosexuales. Es el sui géneris desde hace un siglo. Porque se creen que son la avanzadilla de la clase obrera, los paladines de la libertad y la ideología moralmente superior. Y esto les permite tener patente de corso que les permite utilizar cualquier medio para alcanzar sus fines.

Si no fuera así, ¿por qué la izquierda española continúa con este mutismo cómplice cuando la Sociedad Interamericana de la Prensa (SIP) sigue denunciando el encarcelamiento de decenas y decenas de periodistas por el simple delito de denunciar las atrocidades del régimen castrista? ¿Por qué no se hace eco la izquierda española de los desaparecidos en el estrecho de Florida, algunos ametrallados en la noche, padres e hijos, víctimas de los secuaces de Castro? ¿Por qué el silencio de la izquierda mediática ante el fallecimiento de Laura Pollán, la líder de las Damas de Blanco? ¿Por qué el silencio de los titiriteros subvencionados ante el hecho de que los hermanos Castro mantengan a millones de cubanos sumidos en la más absoluta miseria y represión? Me temo que no hay respuesta. Por suerte, hay mujeres como Laura Pollán que pasarán a la historia. Porque pese al silencio de muchos paladines del progreso, Pollán demostró que a un régimen totalitario se le puede hacer frente. Aunque sea abriendo sus brazos entre flores. O llenando de amor y de libertad las calles de La Habana. O con un vestido blanco. O con una eterna sonrisa. Pero, sobre todo, poner al castrismo en la encrucijada con el armazón absoluto de Internet. Como así hace también Yoani Sánchez. Y es que el mundo siempre estará en deuda con Tim Berners-Lee, el padre de Internet. Porque nunca antes ningún avance tecnológico había hecho tanto por la causa de la libertad. Será porque es el único reducto que los totalitarios no pueden controlar.

Ahmadineyad, el islamofascista

Hace algunos meses leí un artículo muy interesante en la Web *Capitol Hill Cubans*, gestionada por cubanos exiliados en Washington. En ella se hacía referencia al antepenúltimo ataque a la libertad del pueblo iraní. El gobierno tirano de Ahmadineyad anunciaba un nuevo código de estilo del corte de pelo apropiado para los hombres. Como lo oyen. Lo cual es fantástico, pues nos demuestra que la represión del régimen llega hasta extremos casi enfermizos. Quieren controlar todo, hasta el corte de pelo de sus ciudadanos. Hay que ver como se parecen todos los regímenes autoritarios de todos los espectros ideológicos. Quieren controlar hasta el tuétano a todos sus ciudadanos.

Sin embargo, sería injusto tildar como fundamentalismo religioso todas estas medidas represivas que atacan, ciertamente, a la libertad individual. Sería arremeter contra los principios religiosos de muchas personas que procesan el Islam y que bajo ningún concepto claudican ante el delirio de unos cuantos iluminados enfermizos. Se trata, en mi opinión, de un ejercicio de poder, de un control absoluto y social al uso. Por tanto, aquellos que osen desobedecer, son propensos a ser encarcelados o lapidados. Como en las dictaduras de Cuba o Corea del Norte, por poner un ejemplo. ¿En qué se parecen? En que para los dictadores los disidentes son unos indeseables, unos enemigos de la moral pública.

Pero si no teníamos bastante con los deslumbramientos patológicos de este dictador, la teocracia iraní vuelve a mostrar su sublime educación y su vil rostro. Y lo hace como era de esperar, con su obsesivo odio hacia todo lo que respira libertad. El periódico *Kayhan*, controlado por el Gobierno de Ahmadineyad, ha calificado a la primera dama francesa, Carla Bruni, de puta francesa por manifestarse públicamente a favor de la liberación de Sakineh Mohammadi Ashtiani, la ciudadana iraní condenada a morir lapidada por mantener una relación extramatrimonial, acusándola, además, de haber sido la culpable de romper el anterior matrimonio del presidente Sarkozy.

Podría caer en el pesimismo más atroz. Pero yo no me resigno a un cambio, que decía el clásico. La disidencia, aquella que resiste a la teocracia en silencio, sigue siendo la gran esperanza ante la feroz ley islámica impuesta por el Gobierno Ahmadineyad. Confío en que entre la horda masa de jóvenes que puebla el país, ese 54% que son universitarios, sean la cabeza visible de la disidencia y la resistencia al régimen. Confío en que la sociedad joven, al ser más educada y más culta, pueda pensar, reflexionar y tomar decisiones por sí misma. Por tanto, espero que ante el despotismo emerja, aunque sea a cuenta gotas, la libertad individual, promovida por la cultura y el conocimiento, auténticos baluartes de la libertad y que sus voces sean las más activas contra la imposición fundamentalista.

Porque ese fundamentalismo no solo está allende los mares. Craso error. Está acampando en nuestras culturas democráticas. Hace un tiempo escribí que en las mezquitas españolas estaban surgiendo grupos que se adjudicaban el papel de jueces y policías de la moral islámica y practicaban una enorme presión social sobre los musulmanes de algunas de nuestras ciudades. Hasta ahora, ese fenómeno, que hasta hace algunos años se manifestaba en países como Francia u Holanda, ya se ha establecido en municipios de Cataluña, así como en poblaciones de Madrid o Málaga. El nexo común es que las mezquitas de estas localidades están en manos de seguidores del salafismo. Pero lo más grave, es que el intento de aplicar en España la *Sharia*, la ley islámica, no está tan lejos de producirse tal y como reconocen las propias fuerzas de seguridad del Estado, reflejado en un documento que vio la luz hace algunos meses.

No nos engañemos, Occidente no es el enemigo del Islam, ni tan siquiera una primera dama francesa, chivo expiatorio de las demencias de un régimen totalitario. Irán condena a muerte a sus ciudadanos homosexuales y la ONU invita a su presidente a hablar en un foro sobre la intolerancia. *Chapeau.* Tiene a su pueblo en la esclavitud y en la opresión y muchos gobernantes callan y mantienen un silencio que da asco. Y perdónenme la vulgaridad. El enemigo del Islam, es el propio Islam, cuyo fanatismo lleva a esgrimir a algunos las bondades de un Dios para justificar su ideología malévola. O dejamos a un lado los *buenismos* propios de una falsa progresía o será demasiado tarde.

Corea del Norte, una dictadura silenciada

En su mítico libro *La Política*, Aristóteles plasmó un sublime análisis de los diferentes arquetipos de regímenes gubernativos, siendo especialmente crítico con las tiranías. El filósofo las definió como el ejercicio del poder de un modo autoritario. Por tanto, para el sabio griego, la tiranía se encarnaba en la corrupción de la monarquía de la época, que reinaba no en provecho del pueblo, sino en el suyo propio. Y no solo eso, apuntaba las claves y las recomendaciones para eternizarla como técnica de poder. Soberbia lectura que continúa teniendo vigencia en la actualidad, sin duda. Cualquier parecido con la realidad es una mera casualidad, dirán los mal pensantes.

Quizás como antídoto ante la incredulidad sería conveniente analizar en los textos de los autores clásicos, los antecedentes a las versiones modernas del totalitarismo, de cuya fuente se nutren ciertos líderes a ambos lados del espectro ideológico. Pensemos si no en todas aquellas dictaduras que, por su evolución histórica, han sido un claro ejemplo de exterminio, violencia y sangre. Sin embargo, ¿por qué no nos preocupamos tanto por aquellas tiranías o dictaduras opresoras que han sido o son mortíferas y que se han disfrazado con piel de cordero? Corea del Norte es un buen ejemplo de ello.

Hace escasas fechas, vi un reportaje en la televisión francesa que se hacía eco de la monstruosidad de la autocracia de Kim Jong II, el dictador norcoreano, cuya cara más sanguinaria es, sin duda, la existencia del mayor campo de concentración que hay en Asia, el tamaño del cual es comparable a Los Ángeles. Las imágenes de los disidentes y ese negro horizonte me remitían, sin duda, a un universo medieval, desmedido y repugnante. Un universo reservado para aquellos que se niegan a doblar la rodilla ante el tirano. Un infierno donde los prisioneros son obligados a trabajar quince horas diarias y malviven en la más profunda desnutrición.

Que exista un gulag asiático, donde más de 200.000 personas permanecen encerradas en unos campamentos conocidos por el régimen como Zonas de control Total, cuyo fin es mantener el control sobre la población, no es solamente un modelo repugnante de tortura y una clara vulneración de la libertad y los derechos humanos. Es también un fracaso colectivo como sociedad. ¿No tuvimos suficiente con la *Shoah* que permitimos que en pleno siglo XXI continúe sucediendo con total impunidad y con un repugnante silencio el exterminio de seres humanos?

Con todo, ese es el lado invisible del horror. Pero, por fortuna, los dictadores son incapaces de maquillar sus fechorías a tiempo total. Es cuando menos un arte demasiado agudo para ciertos entusiastas del odio a la libertad. Así que, hay otra cara, más visible pero igual de infecta, que debería estremecernos. Me refiero al hecho de que el sátrapa pseudo-estalinista castigara a su selección de fútbol por haber fracasado en el Mundial de Sudáfrica, al que no se clasificaba desde 1966. Como lo oyen. El equipo perdió los tres partidos que disputó, a pesar del esfuerzo realizado. No contento con ello, obligó a los jugadores a estar inmovilizados durante seis horas delante del Palacio de la Cultura Popular de Pyongyang para que la muchedumbre, nostálgica de la Edad Media, los insultara. ¿De qué se les acusaba? De traicionar, supuestamente, la confianza del líder.

Pero como este señor campa a sus anchas por los desaforados destinos de los norcoreanos, cuan marioneta nostálgica del bolcheviquismo, obligó, además, a los jugadores a cargar duramente contra el seleccionador, de igual modo que la mayor parte de las hordas exaltadas y reunidas en la plaza para lapidar dialécticamente a los nuevos villanos del régimen. Como consecuencia, el técnico Kim Jong-Hun ha sido el chivo expiatorio de los delirios faraónicos del dictador y ha sido expulsado del Partido de los Trabajadores, obligándole, asimismo, a trabajar en el gremio de la construcción.

Huelga decir que hay ciertos comportamientos que, además de ser enfermizos, suponen un escarnio de inigualable dimensión. Sin embargo, es increíble como hay personajes que parecen tener patente de corso para humillar y aplastar a sus ciudadanos sin que ningún estamento internacional mueva un dedo para acabar con sus perversidades. No estamos ante algo baladí. Estamos ante una dictadura terrible que mantiene un nivel de desinformación, de pobreza y de opresión brutal sobre sus ciudadanos. No nos engañemos. Cualquier régimen político que cercene la libertad individual y triture a pedazos la dignidad del individuo es absoluta y completamente execrable, por no hablar ya de punible. Desgraciadamente, hay dictaduras que no tienen altavoces en las terminales mediáticas internacionales por falta, quizás, de interés económico y social. Es quizás esa la razón por la cual me avergüenza que hayamos banalizado tantas dictaduras de la forma en que lo hemos hecho.

Está claro que la banalidad del mal es infinita. Ya se refería a ello Hannah Arendt cuando describió la actitud de Eichmann y otros nazis que durante su juicio se declararon libres de culpa porque solo habían obedecido órdenes. No es necesario ir tan lejos, en mi opinión. Banalizar el mal es no aprender de los errores. Con todo, siento que la peor banalización es la indiferencia y ahí todos somos culpables.

Mentiras y doctrinas

Hace algunos años tuve la suerte, durante un breve viaje a Madrid, de asistir en el Círculo de Bellas Artes a una magnífica exposición sobre las heridas del holocausto, *"El Proceso de Nuremberg. El archivo Kaplan"*. La muestra recogía una selección de documentos que pertenecieron al norteamericano Benjamín Kaplan, uno de los jueces encargados del proceso de Nuremberg. Los archivos, documentos y fotografías que allí se acopiaban, ponían de manifiesto la gran máquina propagandística instaurada por el nacionalsocialismo y el proceso del juicio de Nuremberg. Pese a ello, lo más infame, a mi juicio, era que la muestra se iniciaba con las tapas de un cuento infantil que se distribuía en los colegios alemanes para adoctrinar a los más jóvenes sobre la figura épica de Hitler. Para empezar, cabría reflexionar, pues, cómo el adoctrinamiento de una sociedad empieza a hilarse precozmente con la infancia. Uno podría pensar que se trata de una minúscula etapa de nuestra historia, fugaz en el tiempo. Sin embargo, los hechos no cesan de demostrarnos lo contrario.

Por increíble que parezca, y repitiendo viejos mantras de otras épocas, miles de jóvenes están siendo adoctrinados en estos momentos en nuestro país, a través de *Educación para la Ciudadanía*. Pero más allá de porfías y de escrúpulos, no podemos soslayar que una asignatura de este estilo existe en la escuela de distintos países de nuestro entorno, ya sea como asignatura separada, integrada en otras materias o como formación transversal. Que en España es necesario transmitir a los alumnos los valores cívicos no es decir nada nuevo. Ergo, ¿se soluciona esto con una nueva asignatura en la escuela? Estoy convencido de ello. Pero siempre y cuando se mantenga dentro de unos límites y no se invada la conciencia moral del alumno. Así pues, abogar por la defensa de los derechos humanos y los principios democráticos, dar a conocer las leyes y las normas de convivencia debería ser parte fundamental de nuestra educación. Sin embargo, ¿dónde cabría enmarcar el que algunos manuales de dicha asignatura enaltezcan a los sindicatos, mientras al empresario se le equipara con una sanguijuela? El mensaje está claro. En esta sociedad no hay más que un único culpable: el empresario. A la sazón, chivo expiatorio universal y diabólico por su propia naturaleza. Por el contrario, existe un gremio peripuesto en el altruismo y la bondad sideral, los sindicatos. Está claro, pues, que la doctrina por parte del Gobierno socialista en esta materia es transparente: Educar en ser buenos socialistas y en repetir la insigne frase que popularizó la Bruja Avería, *¡Viva el mal, Viva el capital!*

Entretanto, mientras la sesera de muchos niños se contamina con los cantos de sirena, muchos apasionados de esta asignatura defienden que muchos padres no educan lo suficientemente bien a sus hijos y que, por tanto, debe actuar el Estado. ¿Puede el Estado decidir cuándo son o no eficaces las familias para transmitir valores y sustituirlas para impartir su propia moral de Estado? La respuesta es obvia. Pero es curioso como todos los totalitarismos tienen la misma insistente fijación en dominar las mentes, especialmente la de los niños, como hemos visto. ¿Quién puede dudar, pues, que el totalitarismo pseudo-comunista, de Hugo Chávez, el tirano de Caracas, recrea el peor fascismo de derechas y quiere adoctrinar a los niños de primaria en la revolución bolivariana para crear futuras hordas de seguidores del presidente? ¿Ven alguna diferencia con las intenciones de Hitler?

Del mismo modo, en la mayoría de países de corte islámico, los niños son instruidos en el desprecio a los valores democráticos. El último ejemplo lo presentó la *BBC* en noviembre en su programa *Panorama*, algunos de los contenidos de un libro dirigido a unos cinco mil niños que hacen parte de la asociación Club y escuelas de los estudiantes sauditas, y perteneciente al gobierno saudí, que agrupa a unos cuarenta colegios en todo Reino Unido, los alumnos musulmanes reciben un adoctrinamiento en el odio, digno de vergüenza cósmica. Pide a los menores saudíes hacer una lista de las características reprobables de los judíos, incitándoles a que piensen que los judíos son la mismísima reencarnación del demonio y el mayor de todos los males y se les equipara a los simios y a los cerdos.

Por si no fuera poco con esto, los pequeños aprenden, además, que el primer robo de una persona es castigado con la amputación de una mano mientras que el segundo con la mutilación de un pie y que los infieles no musulmanes arderán en las llamas del infierno. En cuanto a los homosexuales, el texto musulmán pregunta al estudiante si es preferible la lapidación, el ser quemado o lanzado por un acantilado, siendo esta última la opción que se sugiere como respuesta correcta. ¿Han oído ustedes alguna crítica feroz por parte de los mismos que se jactaban de avergonzarse y horripilarse con la llegada Benedicto XVI a Santiago de Compostela y Barcelona? O tal vez, ¿han visto como se rasgaban las vestiduras todos aquellos que tildaban de cavernarios a los que osaban protestar cívicamente por el adoctrinamiento nauseabundo de ciertos contenidos sesgados y viles en las aulas españolas, ante esta incitación al odio del islamismo más radical, que también se está implantando en España? No se lo esperen. Estamos de alianza de civilizaciones. A este respecto, recuerdo las palabras que me dijo una amiga mía, profesora para más señas, en una conversación que se produjo en el recreo de un colegio del Raval de Barcelona, el barrio con más alta población oriunda de Marruecos. Una niña, jugando en el recreo y viendo como se burlaban de ella unos niños españoles en el típico juego de niños, se dirigió a aquellos chavales con un preocupante y clarificador, "vosotros reíros, que dentro de algunos años os volveremos a conquistar" ¿A alguien le puede caber duda, que detrás de este argumento se encuentran los preceptos sectarios, adoctrinadores y de incitación del odio que esta niña está recibiendo ya sea por sus padres o por el imán de turno?

Está claro, el totalitarismo es el monstruo que, invadiendo la cultura –santuario indudable de la belleza- cruza transversalmente el escenario de la historia. Se alimenta de sentimientos patrios, ideológicos para luego, deformarlos para ser fácil de manipular a las masas populares y convertirlos en borregos del rebaño. Por tanto, o preservamos la libertad frente al totalitarismo o lamentablemente ya será tarde. Sin duda, el futuro de las nuevas generaciones se lo merecen. Sin embargo, al final, por mucho adoctrinamiento, los totalitarismos no se aguantan por las ideas, sino por el uso de la propaganda. Y la propaganda no siempre es eterna.

La silla vacía

Si hay algo que caracteriza a las sociedades libres es la condena unánime a los regímenes totalitarios, aunque con excepciones. Por tanto, a nadie le cabe la menor duda que el régimen de Mao en China fue una de las tragedias más notables de la historia de la humanidad. Pocos pueden olvidar como Mao Zedong anunció, como un viejo mantra, que bajo su protectorado, se iba a iniciar una nueva insurrección, la de la cultura del proletariado y la revolución campesina. Sin embargo, la realidad resultaba mucho más oscura y, sobre todo, siniestra. Lo que en teoría era un intento de ahondar en el catecismo del Partido comunista y luchar por los parias del mundo, a imagen y semejanza de otras revoluciones comunistas que acontecieron con posterioridad, como la revolución sandinista de Nicaragua, a la práctica, era una sanguinaria tapadera para encubrir una porfiada lucha por el poder y ser responsable, a la sazón, de más de 70 millones de muertos gracias a un execrable régimen totalitario. Como resultado, más de cuatro décadas después, mil millones de seres humanos siguen privados de libertad y viendo como los derechos humanos se cercioran cada día, con la pasividad del mundo civilizado y libre, entusiasmado con el despertar económico del gigante chino.

Desgraciadamente, no parece que la ansiada democracia en China vaya a prosperar, al menos a corto plazo, a pesar de la lucha que encarna y simboliza el manifiesto de intelectuales que le ha supuesto la encarcelación al disidente y Nobel de la Paz, Liu Xiaobo. El brutal control que practica el Partido Comunista chino sobre los medios de comunicación, a imagen y semejanza del tirano de Caracas, Hugo Chávez - que en un alarde de despotismo ha decidido controlar el 20% de *Globovisión*, una de las televisiones que más se ha opuesto a Hugo Chávez y que más amenazas e insultos ha recibido por parte del tirano-, es parte fundamental del control social sobre la población, clave para perpetuarse en el poder. Como consecuencia, la gran mayoría de la población china es indiferente al tema de la democracia e ignora quién es Liu Xiaobo. ¿Pero cómo puede ignorar la inmensa mayoría de la población china semejante reconocimiento a uno de sus compatriotas más ilustres? ¿Quizás porque todo lo que China no quiere que sepamos de su dictadura lo oculta, lo tapa y lo silencia? Sin ningún género de dudas. Y, sin embargo, lo que no pueden ocultar es que más allá de su espectacular modelo de crecimiento económico, de la archiconocida tecnología punta, de hoteles de siete estrellas y de edificios que retan a la gravedad, se encuentra lo que siempre ha caracterizado al comunismo: mientras las clases más bajas malviven entre la miseria más absoluta y en unas condiciones de vidas infrahumanas, los afines al dictador y sus acólitos viven de un modo que produciría envidia en la burguesía más selecta. Por tanto, lo que subyace tras las paredes de la más alta tecnología, es la cara más atroz del régimen: violaciones de los derechos humanos, una corrupción estructuralmente instalada, centros de reclusión clandestinos, orfanatos chinos donde los niños son condenados a morir de hambre, en muchos casos, o tratados con negligencia casi criminal y tortura institucionalizada con penas de muerte. Pero, además, subyace una tortura más sibilina, pero no por ello menos execrable: la limitación de la libertad de expresión -lo que lleva consigo una restricción al acceso de Internet y la telefonía móvil- y la proscripción de que los trabajadores instituyan sindicatos, entre otras maldades.

Visto lo visto, ¿a alguien le puede extrañar que la dictadura no haya permitido que Xiaobo saliera del país, tras dos años recluido en una celda, para recibir el premio Nobel de la Paz en Oslo, ni siquiera su esposa? Poco puede extrañar, pues, que la gran potencia emergente de este siglo XXI encaje con vehemencia la decisión de un comité que ha concedido a uno de sus ciudadanos uno de los más importantes premios por su lucha pacífica por la democracia en el país. Ni tampoco nos puede sorprender que países tan democráticos como Irán, Cuba, Paquistán, Venezuela o Arabia Saudí acataran las amenazas de boicot del gobierno chino para ningunear a Occidente y su enfermiza obsesión por premiar a personas que luchan por la satánica libertad. Esto no hace más que confirmar que la democracia horripila a todos los sátrapas. Pese a ello, hay una verdad incuestionable: las dictaduras pasan, la libertad siempre permanece. Ningún autócrata podrá lograr que tarde o temprano la libertad llegue a Cuba, Irán, Marruecos o Corea. Porque como recordó Liu Xiaobo no hay ninguna fuerza que pueda poner fin a la búsqueda de la libertad del ser humano. Su silla quedó vacía, sin duda. Pero su vacío es el paradigma de la esperanza de un futuro en libertad.

Genuflexión ante Marruecos

La sabiduría popular dice que la memoria de los peces apenas dura unos pocos segundos. Es decir, una vida donde las cosas cambian continuamente. Sin embargo, también tiene su parte menos afortunada, el hecho de que, en cada momento, se acuerden que tienen que respirar y vivir en un agobio sempiterno. Eso es lo que piensa nuestra casta política sobre nuestra memoria, equiparándola a la de los peces y utilizando la demagogia y la manipulación para que olvidemos. Indudablemente, muchas veces lo consiguen.

Sin embargo, para desgracia de nuestra clase política, el pasado siempre vuelve y su memoria no es efímera para algunos. Por eso, si algo tengo claro, es que este gobierno, entre otras cosas, pasará a los anales de la historia por apropiarse de la célebre frase de Groucho Marx, estos son mis principios, si no le gustan, tengo otros. Si hablamos de su posición ante el conflicto del Sahara no cabe duda. Antaño prevalecían los principios, hoy se imponen los intereses y la claudicación repulsiva ante la tiranía de Rabat. Por tanto, si estamos de memoria histórica hagamos memoria.

¿Quién no recuerda que hace algunos meses, apenas unas horas después de que el ejército israelí asesinara en defensa propia a una decena de activistas de la mal llamada Flotilla de la Libertad, el Gobierno español no dudó un momento en llamar al entonces embajador israelí, Rafael Schutz, para requerirle explicaciones por los desproporcionados sucesos acontecidos en Oriente Próximo? Pero es que condenar a Israel, deporte oficial de la progresía, siempre sale gratis y es rentable. ¿Recuerdan que Elena Valenciano, secretaria de Política Internacional y Cooperación del PSOE, no tardó ni unas horas en condenar energéticamente este inadmisible ataque? Y ahora, sin embargo, se niega a condenar explícitamente la violencia marroquí bajo el paraguas de que la comunidad internacional necesita más datos.

¿Quién no recuerda aquellos tiempos en que el socialista Pedro Zerolo, miembro de la Ejecutiva del PSOE, secretario de Movimientos Sociales y relaciones con las ONG y concejal del Ayuntamiento de Madrid, acudía a prácticamente todas las manifestaciones a favor del Sahara y ahora entre muestras de pesadumbre pública afirma sentirse mal por no poder acudir? Está claro, la supeditación al partido antes que los principios y la libertad.

¿Quién ha olvidado que la actual ministra de Asuntos Exteriores, Trinidad Jiménez con auténtico fervor prosaharaui se manifestaba en 2003 exigiéndole al Gobierno español, liderado en aquel momento por José María Aznar, que tomara una parte activa para atender la reivindicación histórica de libre autodeterminación del pueblo saharaui? Hoy es la portavoz de la claudicación de España ante Marruecos.

Con todo, el bochorno cósmico se produjo hace algunos días, cuando la actual Ministra de Asuntos Exteriores en una televisión privada hizo, sin duda, uno de los mayores ridículos que se le ha visto hacer a un dirigente político ante unas cámaras de televisión en la historia reciente de España. Jiménez, presa de las incongruencias que evidencian las hemerotecas, argumentó que España no tiene ninguna responsabilidad sobre el Sahara, pero reafirmaba el compromiso del gobierno con los saharauis. ¿En qué quedamos, pues?

No obstante, uno de los momentos más extáticos, en mi opinión, fue cuando Trinidad Jiménez afirmó que Marruecos era un país laico. Desde luego, si el PSOE toma a Marruecos como referencia de lo que es un país laico, cabría preguntarse cómo puede considerarse laico un país donde las violaciones de los derechos humanos se perpetran supuestamente respaldadas por la mano de Alá y donde se persiguen a los cristianos por no profesar la religión del profeta Mahoma. Pero es que, además, en un lapsus o en una ignorancia preocupante, olvida Trinidad Jiménez que la Constitución marroquí de 1962, en su preámbulo, dictamina que se trata de un Estado musulmán soberano y donde en el artículo 6, se afirma que el Islam es la religión del Estado. Laicidad en estado puro.

Marruecos es un régimen autoritario dirigido por una monarquía corrupta y dictatorial que, disfrazada de demócrata, no respeta los derechos humanos ni la legalidad internacional y que tiene a una gran parte de la población marroquí en la miseria. Por tanto, resulta patético y hasta repugnante, diría, comprobar cómo España se arrodilla ante Marruecos. ¿Olvida Trinidad Jiménez que durante los primeros años del siglo XXI, y ya durante el reinado de Mohamed VI, Marruecos reivindicó Ceuta y Melilla como territorios propios e invadió el islote español Perejil? ¿Olvida la ministra que su otrora homólogo Josep Piqué, durante el gobierno del Partido Popular, fue advertido que si mantenía su postura sobre el Sahara España podría sufrir un atentado del terrorismo yihadista? Lo olvida porque estamos de Alianza de Civilizaciones y porque llevamos décadas, por no decir siglos, ocultando a los ciudadanos españoles la verdadera naturaleza de un régimen que debería avergonzar a cualquier demócrata que se precie y con los que hacemos suculentos negocios y compartimos intereses económicos.

En definitiva, lo que debería hacer España es dar la espalda al monarca corrupto y prepotente de Marruecos. Sin embargo, este gobierno, con su actitud servicial, solo contribuye a que su tiránico dictador se perpetúe en el poder a costa de la miseria de sus ciudadanos. Por suerte, la memoria para algunos no es fugaz.

Cataríes, os recibimos con alegría

Esto de recibir a los tiranos y agasajarles es una costumbre general tanto de la progresía, que presume de libertaria - mientras se encama con dictaduras atroces- como de la derecha millonaria, que cuando ve a un magnate los ojos le hacen chiribitas. No es de extrañar, por tanto, lo que hemos visto estos días. Con la llegada del emir de Qatar, hemos presenciado como los cuellos de nuestra casta representativa se han ejercitado practicando el noble deporte de la genuflexión unísona ante el déspota y su señora jequesa- cuyo parecido a una vedette de *El Molino* con invocaciones a María José Cantudo es prodigiosa. El comentario sonaría a sarcasmo –que no a machista- si no fuera porque detrás sabemos de la enorme represión con la que el emirato trata a sus mujeres. De este modo, los besamanos monárquicos, las sonrisas forzadas del gobierno, las carantoñas de la oposición y el agradecimiento cósmico ante el tirano se han mezclado con la intención de inyectar a las entidades financieras la nada trivial cifra de 3.000 millones de euros. Lo cual es tan burdo como amoral. Y como claro ejemplo de amoralidad está el acuerdo firmado entre el F.C. Barcelona, paradigma hasta hace bien poco de universalidad y de apoyo a la infancia -gracias a su patrocinio de UNICEF- y la Qatar Foundation, con la cual ha firmado un contrato multimillonario por el cual percibirá 150 millones de euros en cinco años por lucir su publicidad en la camiseta azulgrana.

Sin embargo, me parece curioso que el mismo país que se ha ido a la guerra de Libia a no se sabe bien qué y que adoraba hasta el tuétano a Gadafi vendiéndole armas y entregándole las llaves de la ciudad de Madrid, no le merezca igual elucubración el caudillo catarí. Pero claro, según Ruiz-Gallardón se trata de un país abierto y moderado. ¿Abierto y moderado un despotismo medieval, señor Gallardón? ¿Abierto y moderado un emir, señor Gallardón, del que solo hemos visto a una de sus tres mujeres, pues las otras dos viven sin descubrir su rostro en el emirato, envueltas en una prisión de tela y en un apartheid social, civil y cultural? ¿Abierto y moderado, señor Gallardón, un emirato sin libertades y paradigma de la desigualdad?

Por lo tanto, haciendo uso del sentido crítico que nos caracteriza, entre ágapes y reuniones diplomáticas, ¿habrá hablado Su Majestad con el tirano acerca de los principios de la fundación que lleva el emirato por nombre y que venera a un salafista radical –léase Youssef Al-Qaradâwî- que afirma que Hitler fue una bendición divina? ¿Le habrá preguntado Su Majestad por qué considera que hay una conspiración judía en los dibujos de *Pokemon*- de los que sus nietos pueden disfrutar en libertad- y que hay que eliminarlos? ¿Le habrá advertido al emir el señor presidente del gobierno, en el marco de su Alianza de Civilizaciones, que detrás de semejante atrocidad se esconde una incuestionable intención de adoctrinar al pueblo y cuyo exponente más vergonzoso radica en convertir como libro de cabecera de los cataríes uno de los pasajes antisemitas más espantosos de la historia, los Protocolos de los sabios de Sión?

No quiero pecar de pesimismo antropológico. Quizás el señor Rajoy, cuya oposición destaca tanto como el silencio con el que actúa, más allá de haber hablado de economía y aceptar de buen grado la invitación de visitar el país, habrá hablado con el emir sobre derechos humanos y le habrá recriminado con exquisita educación el sometimiento a la esclavitud, a la miseria y la pobreza que padecen sus súbditos. ¿O tal vez también piensa que también es un país abierto y moderado? Como nunca quiere hablar de política, solo de deporte, no sabemos lo que piensa.

Está claro. Es un país abierto y moderado, pero se penaliza y castiga a los homosexuales. Es un país abierto y moderado, pero no es más que una dictadura cuyo poder político está reducido en torno al emir de turno y los partidos políticos están vetados por ley. Es un país abierto y moderado, pero los trabajadores extranjeros no tienen derechos. Es un país abierto y moderado, pero a los ladrones le cortan las manos. Esta es la realidad, les guste o no a nuestra casta política y monárquica. Esta es la verdad de este país abierto y moderado del que presumen Gallardón y demás acólitos. Con todo, hubiera sido al menos deseable que antes de haberle rendido pleitesía, por lo menos se hubieran tapado la nariz antes de claudicar. Aunque solo hubiera sido por un poco de decencia y de dignidad.

China, ruega por nosotros

Aunque la evidencia a veces seque los argumentos y los haga previsibles, reconozco mi pertenencia a esa silenciosa tribu que siente la misma aversión cuando ve a un país democrático arrodillado ante cualquier tipo de dictadura que a cualquier otro estamento de la sociedad comercializando con tiranías, aunque se trate de negocios privados. Indudablemente, el matiz es bien diferente y, sin ningún género de dudas, las empresas tienen el derecho a entablar las relaciones comerciales con quien consideren oportuno. Hasta cierto punto. Es ahí donde entra en liza la controversia de la ética y los valores como contrapunto a los beneficios. Como claro ejemplo está el acuerdo firmado entre el F.C. Barcelona, paradigma hasta hace bien poco de universalidad y de apoyo a la infancia, gracias a su patrocinio de UNICEF, y la Qatar Foundation, cuyo afán de llevar sus tentáculos y sus delirios a Occidente les ha llevado a presentar un contrato multimillonario al club azulgrana, por el cual percibirá 150 millones de euros en cinco años por lucir su publicidad en la camiseta azulgrana.

Huelga decir que tras la tinta de esa firma -que traiciona los valores y la idiosincrasia de un club centenario-, se esconden los fantasmas más miserables de una dictadura atroz y de una fundación que venera a un salafista radical –léase Youssef Al-Qaradâwî- que afirma que Hitler fue una bendición divina. Pero también tras esa firma y ese búnker de petrodólares se encuentra un país -y por ende un gobierno- que considera que hay una conspiración judía en los dibujos de Pokemon. Y como los judíos son los culpables de todos los males del mundo, es motivo suficiente para prohibirse. Y por si esto fuera poco, tras esa rúbrica se esconde una intención clarísima de adoctrinar al pueblo, cuyo exponente más vergonzoso radica en convertir como libro de cabecera de los qataríes uno de los pasajes antisemitas más espantosos de la historia, los Protocolos de los sabios de Sión. Y, sobre todo, se esconde lo más execrable de una dictadura que somete a sus ciudadanos a la esclavitud, la miseria y la pobreza. Una dictadura cuyo poder político está reducido entorno al emir de turno. Una dictadura donde los partidos políticos están vetados por ley. Una dictadura en la cual el canal de televisión Al- Jazeera recibe cuantiosas subvenciones del gobierno pese a ser un negocio privado y, por tanto, se convierte en el altavoz oficial del emirato donde la libertad de prensa brilla por su ausencia. Una dictadura en la que las organizaciones humanitarias para poder desempeñar sus funciones necesitan tener un permiso oficial so pena de ser controlados rigurosamente por el gobierno qatarí. Una dictadura en la que el sistema judicial no es independiente, cuyos jueces son nombrados digitalmente por el emir. Y, una dictadura en la que muchos trabajadores soportan todo tipo de inequidades, como por ejemplo, la falta de pago de los sueldos, el trato humillante o insufribles jornadas laborales. ¿Estos son los valores que pretende llevar el Barcelona en sus camisetas? Uno podría pensar que sus socios ya se encargarán de juzgarlo. Aunque sospecho que el festival erótico-futbolero siempre acabará tapando la vergüenza de sus dirigentes y caerá, como tantas otras cosas, en el baúl de los horrores colectivos que cohabitan entre el olvido y el silencio.

Y si esto ya me parece vomitivo -aunque por lo menos en el mundo libre aún tenemos la oportunidad de discrepar y de poner en el ojo de la opinión pública este traspié mayúsculo de un club grande-, aún es más terrible que los gobiernos de países que respetan la libertad tengan que cerrar los ojos ante las barbaridades de países que no lo hacen. Me parece sencillamente una indignidad. Me refiero a que un gobierno democrático como el español tenga la miseria moral de recibir al viceprimer ministro del Consejo de Estado de la República Popular China, Li Keqiang con todos los honores al más alto nivel, desde el Rey hasta el último ministro. No por lo que significa, que también, sino porque permutar deuda pública por el silencio –gracias, en parte, a la explotación con la que el gobierno chino mantiene a sus ciudadanos- y no hablar de la carencia de derechos humanos en el gigante asiático es inmoral. Sin embargo, ¿nos puede sorprender algo la noticia? Y ya no solo porque este gobierno, que presume de laicismo trasnochado, se haya encomendado a China y ponga una vela al diablo para salir del pozo al que nos ha conducido su desastrosa política económica, sino porque si de algo puede presumir este gobierno es de encamarse con lo peor de las dictaduras bananeras que campan a sus anchas: Venezuela, Cuba, Marruecos y como no, su proyecto estrella de Alianza de Civilizaciones para contentar a la cuchipanda islámica y propagar sus tics totalitarios allende las montañas. Y mientras tanto, otro tanto para el salafismo radical. El Tribunal Supremo ha rebajado las penas que fueron impuestas por la Audiencia Nacional a once presuntos terroristas islamistas detenidos en

2008 acusados de planear un atentado suicida contra el metro de Barcelona porque la acción proyectada estaba en una fase muy embrionaria.

Con todo, la diputada y dirigente del PSOE, Elena Valenciano, reconoció que durante la visita del segundo de a bordo del gobierno chino no se habló de derechos humanos. Aunque eso sí. No dudó en afirmar que este gobierno mantiene un diálogo permanente con China sobre derechos humanos. A la vista de esta argumentación tan banal, candidata a ser ubicada en la hemeroteca de las estupideces y en la falsedad al por mayor, cabría formular una serie de cuestiones sin ánimo de esperar respuesta: ¿Han oído ustedes un clamor de los de la pegatina del No a la guerra criticando al gobierno? ¿Está el Gobierno decidido a obviar los derechos humanos como contrapartida a la compra de nuestra deuda pública? Si este fuera el argumento, ¿qué ha adquirido el Reino de Marruecos de nuestro país para que el gobierno español ignore los derechos humanos en el otrora Sahara español ocupado por el país alauí desde 1976? ¿Se plantará el gobierno de Zapatero ante Chávez ante el continuo asfixiamiento que sufren las empresas españolas por parte del gobierno venezolano y sus continuas amenazas a la libertad? Me temo que no hay respuesta. Y no puede haberla porque como decía el revolucionario francés Pierre Joseph Proudhon, la demagogia es la hipocresía del progreso. Y en ese paradigma, en esa demagogia, este gobierno lleva implantado desde hace mucho tiempo. Y, por desgracia, la victoria solo se consigue por ese camino.

¿Animales impuros?

En plena éxtasis colectiva, y aún entumecido con la perplejidad que a cualquiera debería suscitarle los acontecimientos de Egipto, Túnez y Argelia -recibidos en Occidente como el anuncio de una nueva era en el mundo árabe-, permítanme mostrarles mi incredulidad congénita. En mi opinión, sería necesario rebajar la euforia y ser muy cautos a la hora de echar las campanas al vuelo. Porque en el mejor de los casos, suponiendo que no se originen insurrecciones sangrientas, las posibilidades de que en esos países se instauren sistemas políticos homologables a los occidentales son muy escasas por no decir improbables. ¿Olvidamos si no cómo en Irán derribaron a Sah Mohammad Reza Pahlevi y nadie entonces imaginaba que el Ayatollah Jomeini instalaría la represión más cruel, el integrismo radical y la sumisión humillante de las mujeres y que instauró en su país la ley islámica?

Nadie debería pasar por alto una encuesta en el número 60 de *World Politics* -que se hizo pública días antes de las revueltas- que concluía que el 60% de los egipcios tenían tics fundamentalistas. Nadie debería minusvalorar el hecho de que en dicha encuesta, los egipcios apoyaban un papel más participativo para el Islam en la vida pública. ¿No serían estos datos suficientes para rebajar la euforia colectiva? Con todo, con el fin de corroborar esta posición, sería necesario tener en cuenta un sondeo de la consultora *Pew*, realizado el año pasado, en el que un 48% de los egipcios encuestados señalaron que el Islam juega un papel importante en la política de Egipto, y una abrumadora mayoría dijo que la influencia del Islam en la política es positiva. Por si esto no fuera suficiente, los egipcios se posicionaron –según la encuesta- de forma positiva hacia los elementos centrales de la sharia, es decir, la ley islámica. Por tanto, admitían los latigazos, las lapidaciones y las amputaciones de miembros en nombre de la ley, de una religión y de un dios, lo cual es preocupante y produce náuseas. ¿Nos puede extrañar, por tanto, que el 84% dijese que los apóstatas, es decir, aquellos que abandonan voluntariamente el

Islam, deberían enfrentarse a la pena de muerte y que el 77% expresase su deseo de que a los ladrones deberían cortárseles las manos? ¿Nos extraña que un 54% dijese que hombres y mujeres deberían estar separados en los lugares de trabajo? Sin embargo, lo más preocupante de la encuesta es que un número no pequeño de egipcios son favorables a organizaciones terroristas, con cerca del 50% favorable a Hamas y uno de cada cinco favorables a Al Qaeda.

Cierto es que las encuestas hay que analizarlas en su justa medida, pero marcan tendencia. Por tanto, ¿no deberíamos ser cautos y contener la placidez desatada en Occidente ante la caída del régimen despótico de Mubarak? Y es que basta hacer un repaso a un nuestra historia geopolítica y darse cuenta que de entre las más de cincuenta naciones donde está implantado un régimen islamista o con mayoría musulmana no es posible encontrar ni uno solo de verdadera democracia liberal, sin regímenes totalitarios, con elecciones libres, con la imperiosa necesidad de un pluripartidismo, con libertad de prensa y, por supuesto, con el respeto a las religiones minoritarias.

Pero no nos engañemos. El totalitarismo no entiende de fronteras. El salafismo más atroz está campando a sus anchas en nuestros países con total impunidad. Lo acontecido hace pocas semanas en Inglaterra, cuando un musulmán fue detenido por la policía cuando repartía frente a una mezquita folletos con mensajes que incitaban al asesinato de los homosexuales, es la punta del Iceberg. ¿No debería producir en Occidente una rebelión cívica el hecho de que fanáticos islamistas, manifestaran su voluntad, mediante salvajes carteles, de imponer en un distrito de Londres una zona de dominación islámica anti-homosexual? Debiera. ¿Han oído ustedes alguna queja de las asociaciones que dicen representar a gays y lesbianas? No lo esperen. Están demasiado pendientes de la ideología de género y esperando las declaraciones de turno de la Iglesia Católica para montar en cólera. Mientras tanto, que Occidente siga resignándose, que hay que fomentar el multiculturalismo, el *Fórum de las Culturas* del otrora alcalde de Barcelona Joan Clos –auténtica sandez que costó demasiados millones al contribuyente- y la Alianza de Civilizaciones. Y en medio de tanto circo, tanta burocracia, tanta diplomacia y tanta sumisión, al final lo que ocurre es que en ciertas mezquitas del Reino Unido y de España se proclamen todos los días arengas contra las minorías sexuales, judíos, cristianos y ateos, sin que intervenga la justicia.

Pero por si esto fuera poco, resulta que dos asociaciones islámicas radicadas en Lérida –dónde vive uno de los imanes más radicales que hay en España- han pedido al Ayuntamiento de la ciudad que legisle una normativa municipal para prohibir la presencia de perros –lazarillos incluido- tanto en los autobuses urbanos como en algunas áreas frecuentadas mayoritariamente por musulmanes, al ser considerados animales impuros por el Islam. ¿Nos sorprende que ambas asociaciones sean las mismas que presentaron alegaciones contra la ordenanza municipal que prohibió el uso del burka en dependencias municipales? No solo no aceptan ni respetan la ley de protección de los animales y los valores de Occidente. No solo les ofende nuestra capacidad de ser seres empáticos con otros seres vivos, no para acuchillarles de la forma más atroz en el nombre de algún Dios, como ellos, sino para convivir en amor y en emociones. Sino que, además, consideran que el consistorio leridano debe regular la presencia de perros en la vía pública y en determinadas instalaciones municipales para no agraviar a los musulmanes. Esto es el colmo de la desfachatez. Pero, por si fuera poco, van más allá incluso al considerar que la presencia junto a ellos de animales impuros vulnera la libertad religiosa y el derecho de los islámicos a vivir conforme a las soflamas del Corán. Y cómo sigamos así tendrá razón Mafalda cuando decía aquello de que esto no será más que el acabose del empezose.

La pregunta es si los miembros del consistorio ilerdense aceptarán lo que ninguna sociedad moralmente madura admitiría. Porque al final, uno tiene la sensación que estamos tocando fondo. Y que la bobería del buenismo, la apología de la multiculturalidad y la casta política nos han conducido a la situación en la que nos encontramos. Y es que en el tema islámico estamos como en la Alemania del canciller Hitler, viendo la vida pasar, siendo testigos de cómo el enemigo totalitario -que era el nazismo- está creciendo, sin que nadie mueva un dedo para atajarlo. Porque, al fin y a la postre, la única realidad es que el salafismo radical es el responsable de millares de víctimas y aún no nos hemos dado cuenta de que es un problema muy serio que amenaza a Occidente y a nuestras democracias liberales. En pleno siglo XXI tiranías sangrientas que vulneran los derechos fundamentales de las personas y oprimen a sus pueblos no pueden ser interlocutores para Naciones Unidas. Con todo, lo que ocurre es que tenemos demasiados intereses económicos y somos capaces de tragarnos la bilis de los tiranos para mantener muchos privilegios. Y, encima, en el colmo de las necedades, nos rasgamos las vestiduras por lo que ocurre más allá de nuestras fronteras y no somos capaces de reaccionar ante lo que se está avecinando en nuestros países. Pensar que el mundo árabe dejará a un lado su idiosincrasia islámica alguna vez, para asemejarse al modelo occidental de democracia, no puede ser producto más que de la ignorancia o la ingenuidad. Sin embargo, lo que no podemos consentir, de ninguna de las maneras, aunque sea políticamente incorrecto, es que aquellos que voluntariamente han decidido formar parte de nuestros países, no respeten los valores y los derechos civiles que con ahínco ha costado mucho conseguir. Porque eso, y no otra cosa, es lo que define a una sociedad libre y que se hace respetar. Lo demás son palabrería, sumisión, buenismo infantil y, sobre todo, el camino perfecto para que se infiltre esta guerra silenciosa, que acabará imponiendo toda su ideología deplorable.

Quemar a Geert Wilders

Tenía muchas posibilidades de que se hubiera cometido contra él una auténtica caza de brujas. Pero un tribunal holandés acaba de absolver al político holandés Geert Wilders, acusado de incitar al odio contra los musulmanes por haber comparado el Corán con el *Mein Kampf* -el libro de Adolf Hitler, paradigma del nacionalsocialismo-, y tildar al islam de ideología fascista. Pues bien, los jueces han considerado que el político holandés hizo comentarios chocantes contra el islam, pero que en ningún momento sus críticas iban dirigidas contra los musulmanes sino contra el islam en términos generales. De igual modo, el mismo tribunal ha determinado que el documental dirigido por Wilders, *Fitna,* vilipendiado salvajemente, no ha traspasado los límites legales.

Wilders argumentaba en el film que la islamización de Holanda tendría consecuencias negativas para el país. Sin embargo, en la línea del catecismo oficioso, disfrazada de apología de la multiculturalidad, ciertos sectores de la izquierda y de la derecha, paladines del buenismo reinante, continúan señalándole con el dedo, bajo la acusación de haber cometido el peor delito posible, disentir de la ortodoxia imperante.

Por desgracia, esto deja de nuevo de manifiesto que, pese a que el pluralismo está muy de moda, no significa que siempre se entienda bien. Más bien lo contrario. La prueba de este mal entendimiento radica, en mi opinión, en la creencia de que el pluralismo tiene un apéndice en el multiculturalismo. Es decir, en la implementación de medidas populistas tan común en nuestra casta política, con objeto de promover las diferencias étnicas y culturales. Pero a estas alturas, somos ya muchos los que pensamos que esta complementariedad es ilusoria y que pluralismo y multiculturalismo son ideas antagónicas que se niegan la una a la otra y que nos están conduciendo a la erosión silenciosa de nuestras democracias liberales, como bien ha quedado patente en la puritana Inglaterra o en la Francia de las *banlieues.*

Aún compartiendo el súmmum del asunto Wilders, no negaré que el documental en cuestión posee un cariz un tanto sesgado y que en cierto modo interpreta una sura del Corán de una forma subjetiva y que vincula toda una religión con la locura que perpetra el salafismo y el wahabismo, las alas más radicales del yihadismo. Pero si esto ya me parece preocupante, me parece mucho más abominable el juicio paralelo que se sigue perpetrando contra el político neerlandés, al que recordemos la justicia le ha dado la razón. Porque la cuestión que aquí se dirimía judicialmente no es si Wilders estaba o no en lo cierto, más allá de una simple opinión sobre una cuestión tan compleja como es el islam, sino si tenía cabida o no la libertad de expresión. Es decir, si la heterodoxia debería seguir siendo un pilar fundamental de cualquier democracia. Y, a la sazón, si criticar u opinar sobre cualquier credo debería ser un termómetro de medición fiable de cualquier democracia que se precie.

Con todo, uno tiene la sensación que por pensar del mismo modo que Wilders, que la tolerancia desmedida acarrea la desaparición sistemática de la tolerancia, algunos han sido señalados como islamófobos, xenófobos, fascistas – banalizando un término tan delicado- y en el peor de los casos como ultraderechistas. ¿Tenía razón el escritor estadounidense de origen judío Saul Bellow cuando afirmaba que en esta sociedad del buenismo uno no podía abrir la boca sin que se le tildase de racista, misógino, imperialista o fascista? Porque no es menos cierto que, en la sociedad de la corrección política, estos son los improperios habituales con los que se acusa a cualquiera que se atreva a alertar contra los que usan a *Allah* en vano, pervierten el mensaje y lo convierten en un fanatismo patológico. Lo peor es que este fanatismo está inherentemente empapado de un discurso absolutamente liberticida, que se está colando en las mezquitas españolas y que amenaza con destruir nuestros principios democráticos. Sin embargo, pese a tener objetivos argumentos para combatir el fundamentalismo, quien ose romper el karma buenista del *establishment* y se atreva a denunciar la vulneración de las leyes de protección de los animales con la matanza de los corderos durante el ramadán, saltándose la ley que debería ser igual para todos, quien alce la voz contra las prácticas culturales y religiosas que vulneran la igualdad entre hombres y mujeres en los países islámicos, recibe siempre tales piropos. Curiosamente casi siempre en boca de los mismos que en lugar de apostar por una alianza con civilizados apuestan por una alianza de civilizaciones, aunque esas civilizaciones se nutran de la fantástica tradición de la ablación del clítoris, de prohibir a las mujeres conducir, de cortar las manos a los ladrones, de condenar a las mujeres a vivir en una cárcel textil o de ahorcar a los homosexuales en grúas en el espacio público.

Son los mismos que mientras defienden la multiculturalidad y se apropian de la palabra tolerancia, versículos del catecismo laico en mano, creen tener manga ancha para la libertad de expresión cuando se mofan del cristianismo y de las creencias de millones de personas, como pudimos comprobar en la Universidad Complutense de Madrid. Contra el cristianismo todo vale y siempre sale gratis. Valiente hipocresía y, sobre todo, valiente despropósito. Por suerte, noticias como la de

Wilders nos devuelve a algunos la esperanza de pensar que criticar al islam no es sinónimo de criticar un credo, sino de defender la libertad frente a la opresión. Es decir, defender la libertad de todos.

El monstruo de Noruega

Si hay algo que ha quedado claro estos días tras la tragedia de Noruega, más allá del dolor por las víctimas, de la comprensible confusión, de familias rotas, de sueños que se han truncado por el odio de un fanático, es que hemos vivido otro capítulo más de la consabida oleada del miedo colectivo, de dedos señaladores contra el islamismo radical. Pero, ¿acaso olvidamos que se trata de una mala praxis de una religión que, ciertamente, en nombre de un Dios, una minoría no poco extensa nos ha declarado la guerra frente a una mayoría que apuesta por la civilización? Está claro que esta vez nos hemos equivocado y que hemos quedado en el más oprobioso de los ridículos. No solo por la acusación gratuita, sino porque los atentados de Oslo han dejado tras de sí a contertulios, columnistas varios y fanáticos del Twitter por doquier denunciando las maldades y el delirio del Islam. Y para muestra el hecho de que aún sin conocer de fuentes oficiales a los autores del atentado, las redes sociales y los periódicos de papel del día siguiente ya apuntaban al terrorismo de corte islamista como responsables.

Reconozco que fue mi primer pensamiento y mi primera opinión, condicionada tal vez por ese miedo patológico para el que no hay medicina, que dice un proverbio escocés, sin percatarme siquiera que no era el modus operandi de Al Qaeda. Lo cual no exime para hacer autocrítica individual y colectiva. Acaso todo esto sea fruto del recelo y el desconcierto que tenemos respecto al Islam y más concretamente hacia el fundamentalismo yihadista. Esta es una realidad irrefutable y que solo los meapilas de la progresía más kumbayá podrán negarla. Motivos sobran. Primero, porque hay una guerra silenciosa contra Occidente. Segundo, porque la mayoría de países islámicos son dictaduras feroces. Tercero, porque las mujeres están sometidas a leyes inhumanas, con el silencio nauseabundo de cierto feminismo de cuota que apoya solicitar a la fiscalía que vigile las palabras que pronuncie el Papa en Madrid mientras calla con lo que ocurre en las culturas islámicas. Cuarto, porque hay imanes en nuestro país que abogan en las mezquitas por implantar la sharia en España. Quinto, porque justificándose en una religión, criaturas inocentes son educadas en el desprecio a los valores democráticos y en la violencia como valores supremos. Y por último, y no por ello menos importante, porque cristianos, homosexuales y judíos –es decir, cualquier signo de herejía diferente de sus principios- son perseguidos hasta la médula en los países de credo musulmán.

Con todo, me sorprende que el atentado no haya producido la patente necesidad de analizar el fenómeno que para la causa de la libertad ha supuesto la sociedad multicultural que nos han querido vender, con las bondades de los extremismos como desencadenante. En cambio, lejos de abrir un debate sereno, plural y rico en matices, nos empeñamos en señalar a la extrema derecha y a la patología mental del presunto terrorista, Anders Behring Breivik, un noruego de 32 años. Antes al contrario, ya se aboga por expulsar del paraíso a quienes no comulguen con los mantras del multiculturalismo, erigido como pecado mayor del reino y motivo más que suficiente para ser conducido a la hoguera pública.

Pese a ello, lo ocurrido nos demuestra que la magnitud de la tragedia puede ocultarnos la verdad de los motivos y que la violencia es un hecho tan difícil de digerir como previsible es el olvido en que quedará de aquí a un tiempo. Pero, además, a nadie le puede caber la menor duda que esta masacre se asemeja en demasía a la ocurrida hace algunos años en Estados Unidos, en la escuela Columbine y que llevó a la gran pantalla el director estadounidense Gus Van Sant con su extraordinaria película *Elephant*. ¿Cómo podía ser posible que un joven que se complacía con la música clásica, que disfrutaba interpretando al piano piezas de Beethoven, se convirtiera de la noche a la mañana en un monstruo y asesinara, con la ayuda de un compañero, a trece personas de la forma más abominable antes de suicidarse? ¿Dónde acababa la persona y empezaba el monstruo? En cierta medida esta es la gran duda que suscita la matanza de Noruega. Cuando alguien convierte su religión en doctrina destructiva, nace un monstruo. Pero cuando la ideología se sustenta en el terror y en el odio, el monstruo se convierte en un terrorista. Es decir, la ETA. Es decir, el monstruo de Noruega.

A propósito de Charlie Hebdo

Andaba yo hace unos días en una mesa de debate cuyo eje central trataba sobre la libertad cotejada con la tradición y la doctrina musulmana. El debate vino como consecuencia de los últimos embates que, amparándose en Alá, el fundamentalismo islámico ha perpetrado contra uno de los principios esenciales de Occidente: la libertad de expresión.

Lo expresó con genial maestría Mario Vargas Llosa cuando se refería a que todas las dictaduras, ya sean de derechas o de izquierdas, practican de algún modo la censura y usan el chantaje, la intimidación o el soborno para controlar el flujo de información. Por tanto, afirmaba el escritor, se podía medir la salud democrática de un país evaluando la diversidad de opiniones, la libertad de expresión y el espíritu crítico de sus diversos medios de comunicación.

Pero, además, si valoramos la influencia y la diferencia entre nuestras democracias y las de corte islamista, no es baladí afirmar que uno de los principales éxitos de nuestras democracias haya sido situar el cristianismo como religión mayoritaria sin interferir por ello en la concepción de un Estado de derecho y laico –que no laicista-. No podemos obviar que el cristianismo ha tenido una singular importancia en la implantación de las libertades y en el progreso cultural, ético y político de Occidente. Sin embargo, ¿olvidamos que ese progreso resulta imposible en otras confesiones? Y es que tal vez se deba a que muchas confesiones tienen su mayor enemigo en sus propios dogmas. Veamos si no lo ocurrido en los últimos años. Primero fue Dinamarca, cuando el diario danés Jyllands Postem publicó una caricatura de Mahoma con un turbante con forma de bomba. Como consecuencia, el periódico sufrió amenazas de grupos islamistas y varias personas murieron en altercados en Afganistán por este episodio. O el asesinato del realizador holandés Theo Van Gogh, cuyo único delito fue denunciar la sumisión de la mujer en el islam, realizando con tal fin un cortometraje en el que aparecía una musulmana semidesnuda con frases del Corán escritas en su piel. O la protesta contra el canal Nessma TV, que emitió la película franco-iraní Persépolis, considerada blasfema por grupos islamistas, debido a que en una de las escenas aparece Dios hablando con una niña.

Ahora el tema surge de nuevo en Francia con una virulencia preocupante al publicarse en la revista Charlie Hebdo - archiconocida en toda Francia debido al tratamiento desvergonzado que ofrece de las personalidades políticas y religiosas- de una portada del profeta Mahoma (Charia Hebdo) referida a la Sharia, la ley islámica. Pecado más que suficiente para que su redacción en París fuese atacada con cócteles molotov quedando totalmente destruida.

Y mientras tanto parece que queramos mirar este asunto con la mirada habitual del buenismo más nauseabundo y no exento de una alta dosis de demagogia, como hemos podido leer en buena parte de la prensa española estos días. Porque claro, el terrorismo y el fundamentalismo islámico no son más que el resultado de una reacción de odio al imperialismo norteamericano, que como bien señalaba Jean-François Revel en su magistral ensayo La Obsesión antiamericana, parece que es el responsable de todos los males del mundo. Siempre la mirada ciega o la mirada perversa, según se mire.

En cierto modo semejante atentado a la libertad no se debe solo al choque entre civilizaciones, como bien definió el politólogo Samuel Huntington, sino a que ese conflicto y sus consecuencias plantean también un problema moral y funcional a nuestra civilización occidental. O dicho de otra forma. Estamos entre una lucha global entre demócratas y teócratas, tal y como afirmó Salham Rushdie. Y mientras las libertades se vulneran, en este país estamos con la gansada de la Alianza de Civilizaciones, posiblemente uno de los mayores errores que deja en herencia el gobierno Zapatero en materia de política exterior. Y no solo porque se trata de un error estratégico, sino porque es un error imperdonable desde un punto de vista moral. Porque la alianza no debería ser entre civilizaciones, sino entre individuos civilizados.

Pero me temo que entre la cobardía de la derecha, que vende su ideario y sus principios para no ofender a la izquierda, y la ignorancia de una izquierda que se quedó anclada entre el espíritu de la Cheka, el marxismo más decadente y el comunismo bolchevique e incapaz de modernizarse, no somos conscientes de que nuestra libertad de expresión está siendo erosionada por un fundamentalismo islámico que se está colando por las rendijas de nuestra democracia para destruirla desde dentro. Nada nuevo. Es la historia del totalitarismo desde in illo tempore. Por desgracia, se empieza negando la realidad y se acaba de rodillas ante el totalitarismo sin saber los motivos de tal claudicación.

3. LA ESPAÑA DE ZP... Y LA QUE HEREDA RAJOY

La rendición ante la ETA y el 11-M

Llamando a la puertas del infierno

Uno tiene la sensación que si viviéramos en un país normal – legislativamente hablando- sería impensable que personajes envueltos hasta el tuétano en pretéritas guerras sucias y en conductas impropias de un estado de derecho afloraran en la vida social, política y pública, con la impunidad con la que campan en nuestro país. Y no solo me refiero a crímenes de estado y depredación elevada a la enésima potencia, sino a una infecta corrupción policial y judicial que afecta a todos los apéndices de nuestro sistema democrático. ¿Se imaginan que semejante atrocidad aconteciese en Francia, Inglaterra, Alemania o Estados Unidos, por poner un ejemplo? No se lo imaginen porque sería imposible. Y sin embargo, en este país, el chivatazo del Gobierno a ETA para que escapara de la policía en el Bar Faisán, es sin duda uno de los escándalos de estos últimos treinta años que producen más arcadas y un paradigma de cómo la justicia y la policía están infectadas por una corrupción orquestada por el poder legislativo y cuyo máximo exponente se llama Alfredo Pérez Rubalcaba, a la sazón Ministro del Interior y actual Vicepresidente del gobierno de España.

El mismo que se jactaba en afirmar que España no se merecía un gobierno que no mintiera. El mismo que violó la jornada de reflexión durante el 13-M, el mismo que comandó el asalto a las sedes del Partido Popular, con la ayuda inestimable del difunto equipo de deportes de la SER, el mismo que fue portavoz del gobierno que nos arrastró al borde de una situación como la del corralito argentino, el mismo portavoz del gobierno que arrastró al país a las cotas de corrupción más profunda de toda su Historia, el mismo que calló y ocultó el latrocinio del Banco de España, FILESA, la caja de los huérfanos de la guardia civil, el Boletín Oficial del Estado y otros menesteres, el mismo que se las ingenió para que no lo encausaran por el terrorismo de Estado del GAL -por el que fueron juzgados y procesados varios de sus colaboradores- Este es, mismamente, el hombre que en un país normal debería sentarse en el banquillo de los acusados, o como mínimo estar de por vida fuera de la vida pública, y no postularse a la presidencia del gobierno. Con todo, ¿nos puede extrañar algo? Por suerte, la historia siempre ilumina el presente y nos da una visión objetiva de los hechos. Y el pasado siempre vuelve – cierto programa de la televisión de Vasile dixit-. Recordemos, si no, las palabras de Pablo Iglesias, el fundador del Partido Socialista Obrero Español, que puso los cimientos de la escuela al afirmar el 5 de mayo de 1910 que este partido estaría en la legalidad mientras la legalidad le permitiera adquirir lo que necesitase y fuera de la legalidad cuando no le permitiese realizar sus aspiraciones.

Así que en un ejercicio de posesión diabólica del espíritu Iglesias, el Vicepresidente primero y Ministro del Interior se ha embaucado en una odisea, que ni Homero hubiera podido firmar con tal destreza, para intentar por todos los medios ocultar la realidad de lo sucedido aquel 4 de mayo de 2006 cuando la operación prevista para detener ese día a la red de extorsión de ETA fracasó como consecuencia de un chivatazo dado a Joseba Elosua, propietario del bar y miembro de la banda, en pleno proceso de negociación. Un chivatazo por el cual están judicialmente imputados el ex director general de Policía y dirigente del PSE en Álava Víctor García Hidalgo, el jefe superior de Policía del País Vasco, Enrique Pamies, y un inspector de la Brigada de Información de Álava, José María Ballesteros.

Pero a la vista de estos datos, ¿sería lógico pensar que estas tres personas no pudieron meterse en semejante embrollo sin recibir órdenes de sus superiores? No me cabe la menor duda. Por tanto, la decisión del juez Pablo Ruz, magistrado de la Audiencia Nacional, de reabrir el sumario por presuntos delitos de colaboración con organización terrorista y de revelación de secretos por parte de funcionarios del Estado en el llamado caso Faisán supone un triunfo del Estado de derecho frente a las mentiras y a las oscuras artimañas de Rubalcaba y demás acólitos. Y no solo porque se haya hecho público que uno de los tres teléfonos de la Subsecretaría del Ministerio del Interior desde los que se hicieron llamadas a los imputados por el chivatazo en los días anteriores y posteriores al soplo pertenece al secretario de Estado de este Departamento, Antonio Camacho, sino porque al final la justicia solo tiene un camino. Y aunque seguramente el poder político se haya inmiscuido de nuevo en el poder judicial so pena de evitar que Rubalcaba acabe salpicado por uno de los mayores escándalos de la democracia española y ahora el juez Ruz no vea motivo para que Camacho sea llamado a declarar, supone que, por primera vez, el Faisán está llamando a las puertas del infierno de Rubalcaba.

No solo cabría pensar, pues, que España, no se merece un ministro del Interior cercado por la sospecha y el delito – supuesto candidato ad aeternum a líder socialista con la ayuda inestimable de cierto grupo mediático. Sino que, aún más importante, el Gobierno no puede finiquitar el chivatazo tal y como ha intentado hacer durante los últimos cuatro años. ¿Olvidamos, tan pronto, cómo el juez Garzón hizo todo lo posible para que este asunto quedara sumergido en el frágil olvido? Ahora el imperio *rubalcabiano* se empieza a derrumbar. Y lo mejor, por tanto, la mejor medicina para encubrir sus fechorías, y evitar el descalabro, es la demagogia y la manipulación para que la voz no resuene estruendosamente y que ciertos medios continúen teniendo un silencio infecto sobre ello, incluida la televisión que pagamos entre todos. Y por eso, como la voz de las víctimas les resulta incómoda porque evidencian la traición y sus sinvergonzonerías, el gobierno ha menospreciado a las víctimas del terrorismo y la mayoría de los partidos ha decidido mirar para otro lado y presionar a sus dirigentes para que no secundasen la convocatoria que ayer organizó *Voces contra el Terrorismo* y que llenaron las calles de Madrid y ningunear, por tanto, a quienes no se someten a los dictados del gobierno de turno o al comportamiento sórdido de cierta oposición que espera latente heredar los despojos de la ruina, sin mover un dedo y sin trabajar. Sin embargo, resulta triste comprobar cómo los grandes medios han silenciado la manifestación de las víctimas, mientras impulsan las intenciones de Batasuna de presionar al gobierno de Zapatero para que facilite la legalización de un nuevo partido, vientre de alquiler de los verdugos de ETA-Batasuna. Con todo, a pesar del silencio, a pesar de los múltiples obstáculos, a pesar de que algunos quieren salir de rositas del caso Faisán, muchos seguiremos al lado de la justicia, al lado del estado de derecho, no olvidando lo inolvidable y clamando por un final del terrorismo con vencedores y vencidos, sin genuflexiones. Porque es lo mínimo que les debemos a las víctimas. Y porque las víctimas, ahora y siempre, merecen dignidad, memoria y justicia.

Otaola, paradigma del coraje

He dejado pasar algunas semanas para poder abordar el tema con mayor sensatez. No por temor a parecer oportunista sino porque afortunadamente el tiempo, la reflexión serena y la distancia te aclaran cosas que la razón no consigue descifrar con el arrebato.

La noticia de que Regina Otaola abandonará la política cuando termine la legislatura es, en mi opinión, una de las noticias más tristemente teñidas de dolor y de desolación, pero a la vez de grandeza, que han copado las páginas de los medios de comunicación en las últimas semanas. Supongo que eso es lo que tienen las noticias tristes, que se abren paso en tu mente y no te sueltan. Hasta hoy. Por suerte, la memoria siempre nos recuerda el valor de la dignidad. Y ese ha sido el camino de Regina Otaola, uno de los paradigmas de valor cívico y coraje en una tierra complicada. Euskadi, ese Ítaca de libertad que muchos anhelan y que, en no pocas ocasiones, es la tierra del dolor y del drama, del silencio y la rabia.

Otaola, obtuvo la Alcaldía de uno de los feudos de la izquierda abertzale con veintisiete votos, poco más del 5% que necesitaba para acceder al consistorio tras la anulación de las listas de Batasuna. Y no se plegó. A pesar de que una pintada en recuerdo de la etarra de Lizartza Inazia Zeberio, que murió en un tiroteo con la Ertzaintza en 1998, se convirtiera en su carta de bienvenida en esa pared exterior del Ayuntamiento, Otaola fue como dice la famosa canción almodovariana el junco que se dobla pero siempre sigue en pie.

¿Quién no recuerda aquel pleno en el que Regina tomó posesión de su cargo, interrumpido en varias ocasiones con gritos por parte de los presentes de *a Madrid, a la mierda o partido fascista*? Sé que va a ser controvertido lo que voy a decir, pero soy de los que piensan que no hay diferencia entre los cachorros abertzales y los nostálgicos del régimen franquista y sus ancestros. Al final los extremos, por muy opuestos que se hallen, tienden a irse juntos al catre si fuera necesario. Eso es lo que tienen en común los fascismos, además de coartar las libertades: el empeño de llamarle sexo cuando en realidad quieren decir amor. Un amor enfermizo.

¿Se imaginan ustedes que supuso para Otaola que su primera decisión política fuera eliminar cualquier rastro de pintadas amenazantes hacia su persona y hacia los maketos? Y no lo digo de un modo despreciativo, pues ese término fue acuñado por Sabino Arana y los nacionalistas vascos de la primera mitad del siglo XX designando a los numerosos inmigrantes atraídos al País Vasco por la industrialización, lo que supuso, sin lugar a dudas, un tic racista y separatista, que aún hoy perdura en las mentes de algunos habitantes *euskaldunes*, pocos ciertamente. Al final, esas imágenes solo quedan grabadas en la memoria de los supervivientes, en todos aquellos que no se han plegado a las órdenes del terror, en aquellos que defienden la libertad aunque sientan a su alrededor la sombra negra del tiro en la nuca.

Lamentablemente, y es algo que me repugna, he leído todo tipo de atropellos y lindezas acerca de la seña ideológica de la alcaldesa cuyo único pecado ha sido llevar la libertad como estandarte, con independencia de sus posiciones. Está claro que no todo vale en política. Ante la evidencia de la carencia de la libertad de expresión, cualquier idea política se difumina; el valor y el coraje lo suplantan en forma de vigía. Por lo tanto, no es hora del rencor y de las diferencias, es hora de la memoria. Es hora, efectivamente, de no olvidar lo inolvidable y no mirar para otro lado cuando algo huele a podrido en Euskadi y la libertad allí solo existe en el diccionario y en el refranero popular.

Todas estas falacias me llevan a determinar que, además de forjar dolor y muerte, el terrorismo atenta contra nuestras convicciones y principios, y termina enfrentándonos en debates estériles que pretenden destruir nuestra defensa del estado de derecho. ¿Creen ustedes que el debate radica en subrayar si Otaola se trata de una heroína de nuestro tiempo o no? Por supuesto que no. Y ése es su efecto más perverso, el que busca la división, el más calamitoso, el que con más ahínco persiguen los exaltados de la muerte. Desgraciadamente, lo acaban consiguiendo. Porque en muchos casos sus tentáculos obligan a un exilio forzoso, como en el caso de Regina, que deberá abandonar el País Vasco para reinventar su vida. No seré poético y no porque no crea que la poesía no deja de ser el espejo donde la tragedia se convierte en epopeya. Podría hablar de que el exilio es la soledad más extrema. O que, por ende, se trata de la personificación más absoluta de la verdadera libertad. No lo creo. Me temo que una soledad así y una libertad a tan alto precio pagada muy pocos la pueden soportar, solo los que están hechos de una piel tan especial. Como Regina Otaola.

Marca Blanca

A nadie se le escapa que vivimos en un período de ruina económica, leitmotiv primordial para la mayoría de los ciudadanos y para los medios de comunicación. No hace falta más que pasearse por las calles y detenerse en los quioscos para darse cuenta de ello. Sin embargo, hay otros asuntos que, en mi opinión, merecen también formar parte del debate de las ideas y que no solo son de cauce político sino, fundamentalmente, moral y ético. Me refiero a aquellos asuntos que -fonoteca y hemeroteca en mano-, están evidenciando un nuevo apaño con la ETA: el Faisán, la negociación y la ansiada búsqueda de una paz más cercana a un redil que a una democracia consolidada. Así que huelga decir que no es incompatible, o no debería serlo, denunciar la crisis económica, la pésima gestión del gobierno y la no menos estrechez moral de la oposición y al mismo tiempo no olvidar lo que se nos avecina. Y lo que se nos avecina es más de lo mismo.

Y es que resulta cuando menos curioso como una parte no trivial de la sociedad tiende a dejarse embaucar con majaderías y aceptar como una verdad soberana cualquier declaración de intenciones del brazo político de la ETA. Hablo de la sempiterna presentación en sociedad de ETA-Batasuna, disfrazada en las siglas de Sortu. Que nadie se lleve a engaños. Sortu y demás patulea son ETA. No pueden engañar a nadie porque a estas alturas de la película no es baladí pensar que no son más que un apéndice de la organización criminal, similar a su tribu de pistoleros o equiparable a aquellos que practican la extorsión, vaciando el bolsillo de los empresarios. Ya no nos pueden engañar porque bajo distintas denominaciones (HB, Euskal Herritarrok, ANV o PCTV), son el reducto que utilizan los asesinos para financiarse con cargo a nuestros bolsillos.

No engañan a nadie, porque muchas de las personas que promueven el nuevo partido ya formaban parte hace unos cuantos años de la plana mayor de Batasuna y apoyaban sin fisuras a la banda terrorista. Es decir, la nueva Batasuna –léase Sortu- es la Batasuna de siempre. Ni han rechazado ni se han opuesto a la violencia profesada por la ETA durante los cuarenta años de terrorismo sangriento a los que nos han sometido, ni tan siquiera han pedido perdón a las víctimas. Ahora solo han rechazado y se han opuesto al uso de la violencia para la consecución de objetivos políticos, incluyendo la violencia de ETA. Pero, ¿olvidamos que han equiparado a las víctimas del terrorismo con la fustigación que sufren los asesinos de la ETA?

No son más que los voceros de los asesinos, algunos de los cuales han sido acercados a cárceles del País Vasco. Otros han recibido permisos penitenciarios para cursar estudios que le permiten abandonar a diario la prisión y muchos, simplemente, han quedado en libertad. Otegui, sigue siendo un hombre de paz para el gobierno. De Juana Chaos, ni sabemos dónde está. Está claro que lo más importante era que no muriera en su huelga de hambre. Josu Ternera, de road show por toda Europa bien mimado. El batasuno Rafael Díez Usabiaga excarcelado para cuidar a su mamá. El aparato de extorsión de ETA, recibe chivatazos para que huya de la policía. La tigresa, una de las mayores asesinas de la banda, siendo acercada a una cárcel cerquita de su casa y para colmo de la desfachatez, los etarras Fernando García Jodrá y Nerea Bengoa Ziarsolo, integrantes del comando Barcelona que asesinó al socialista Ernest Lluch, a dos concejales del PP, a un guardia urbano y que intentó matar hasta en ocho ocasiones al periodista Luis del Olmo, han recibido luz verde para someterse a un tratamiento de fecundación in vitro en el Hospital Reina Sofía de Córdoba.

Y mientras tanto, en ciertos medios, le dan voz a esta marca blanca de la ETA al mismo tiempo que silencian la voz de las víctimas. En una entrevista en la SER, Rufino Etxeberría, dirigente de Sortu y sobre el que pesa una petición del fiscal de doce años de cárcel por pertenencia a organización terrorista, ha utilizado el mismo lenguaje que sus antecesores y ha hablado de lucha armada, violencia política de ETA, presos políticos y otras lindezas para acabar afirmando, por si a alguien le quedaba alguna duda la paternidad de la criatura, que son víctimas de un montaje jurídico procesal.

Está claro, pues, que Sortu es más de lo mismo, más de ETA-Batasuna. Lo han insinuado ellos mismos, con el lenguaje de siempre, de forma notablemente clara. Por ello, lo más sensato sería que el Tribunal Supremo se inclinara por ilegalizar el nuevo partido, a la espera de que los hechos confirmen los peores augurios. Sin embargo, tengo la sensación –y cuánto me gustaría equivocarme- que en este apaño de negociación y de rendición ante la ETA resulta indispensable la presencia de los cómplices de los asesinos en las instituciones vascas so pena de vaciar nuestros bolsillos y pisotear la memoria y la dignidad de tantas personas a la que esta vil gente ha segado la vida.

El silencio del Faisán

Hace algunos días andaba yo tomando un café con un amigo. Uno de esos cafés de sorbo lento en los que importa poco el sabor y uno disfruta más de las palabras, las complicidades y las experiencias compartidas que de la fina crema que lo cubre. Después de ponernos al día con asuntos varios, empezamos a departir, en un momento determinado, sobre el estado de salud de lo que queda de España. Y yo le expuse que si viviéramos en un país normal –legislativamente hablando claro está-, sería impensable que personajes como Alfredo P., envueltos hasta la médula en chanchullos varios camparan a sus anchas por la vida política con la impunidad con la que lo hacen en nuestro país. Y, lógicamente, hablamos ampliamente del caso Faisán, máxime ahora que el juez Pablo Ruz ha procesado al ex director general de la Policía y dirigente del PSE en Álava Víctor García Hidalgo, el jefe superior de Policía del País Vasco, Enrique Pamies, y un inspector de la Brigada de Información de Álava, José María Ballesteros porque hay pruebas evidentes que pudieron cometer delito de revelación de secretos y encubrimiento o colaboración con banda armada.

Sin embargo, mi amigo me contestó diciendo que desconocía lo del caso Faisán y que en cierta medida no le parecía tan grave como yo le argumentaba. Reconozco que me sorprendió. Días más tarde, y pensando que solo se trataba de un caso aislado, pregunté a otras personas si conocían la existencia del chivatazo a la ETA. Para mi asombro nadie lo conocía, aunque alguno había escuchado algo al respecto. Otros señalaron que lo más importante era la crisis económica y que eso era un trapicheo de periodistas. Otros se justificaron diciendo que si ya no cometían atentado alguno había que hacer todo lo posible para evitar que se volviese a matar. Pero nadie, absolutamente nadie, consideraba este asunto de extrema gravedad. Empecé a investigar y me di cuenta que la prensa catalana había dedicado muy pocas piezas informativas a hacerse eco del caso y cuando lo hacían se aseguraban de no clavar el diente, quizás con objeto de que pasase absolutamente desapercibido. Es decir, un silencio informativo sin parangón desde el oasis. ¿Pero cómo podemos estar tan impasibles ante uno de los casos que más arcadas producen como es el chivatazo de órganos policiales, al servicio del gobierno, para que ETA escapara en el Bar Faisán? ¿Nos imaginamos que pasaría si un miembro del FBI avisara a un miembro de Al-Qaeda de que huyera porque va a ser detenido? ¿Nos imaginamos que ocurriría si un miembro de Scotland Yard avisase a un terrorista del IRA que lo van a capturar? No solo caería el máximo responsable de la policía, sino el gobierno en pleno. Y aquí el no dimitir se ha convertido en una tradición más a añadir a las ya habituales.

Ciertamente, no sé que me produce más perplejidad, desazón y rabia; si un gobierno que en vez de acabar con ETA con la ley en la mano y con el estado de derecho, es capaz de vender su alma y nuestra dignidad con tal de mendigar un final de ETA a cualquier precio, o la indiferencia y la desinformación de una sociedad que escurre el bulto, se rinde y gira la cabeza, manipulada por un poder orwelliano que domina las artes que el Marqués de Sade dejó a medio camino y cuyo máximo exponente se llama Alfredo P., portavoz del gobierno de los GAL y ministro del interior durante el chivatazo. El mismo que quiere salir de rositas de este caso. El mismo que se jactaba en afirmar que España no se merecía un gobierno que no mintiera. El mismo que violó la jornada de reflexión durante el 13-M. El mismo que fue portavoz del gobierno que nos arrastró al borde de una situación como la del corralito argentino y que ahora parece tener la receta mágica para salir de la crisis. El mismo portavoz del gobierno que llevó al país a las cotas de corrupción más profunda de toda su Historia. El mismo que calló y ocultó el latrocinio del Banco de España, FILESA, la caja de los huérfanos de la guardia civil, el Boletín Oficial del Estado y otros menesteres. El mismo que se las ingenió para que no lo encausaran por el terrorismo de Estado del GAL. Este es, mismamente, el hombre que en un país normal debería sentarse en el banquillo de los acusados, o como mínimo estar de por vida fuera de la vida pública, y no postularse a la presidencia del gobierno.

Pese a todo, aunque algunos seamos tildados de cavernarios so pena de ser quemado en la hoguera del buenismo congénito y cierta superioridad moral, seguiré sin callarme. A pesar del silencio mediático, a pesar de los múltiples obstáculos, a pesar de que algunos quieran salir de rositas del caso Faisán. Muchos seguiremos clamando por un final del terrorismo con vencedores y vencidos. Porque las víctimas, ahora y siempre, merecen memoria, dignidad y justicia.

Mentira de estado

Pocas cosas han puesto de manifiesto con tanta evidencia la indignidad y la miseria moral de nuestra casta política y judicial -y de una buena parte del conjunto de la sociedad que en no pocas ocasiones se comporta como un rebaño-, como los atentados del 11 de marzo de 2004. Siete años llenos de mentiras oficiales y oficiosas. Siete años de un alarmante e infecto silencio en el mejor de los casos o, en contraste, una obstrucción obsesiva por evitar que se conozca, de una vez, que pasó realmente aquella funesta mañana de invierno en Madrid.

Confieso que yo mismo fui uno de los muchos que creyeron en un principio en la versión gubernamental y hasta en los terroristas suicidas que, según cierto periodista, vagaron por los trenes, sin que hasta la fecha conozcamos cuales fueron las fuentes oficiales que informaron de semejante falacia. Fui uno de los muchos que salió a la calle enervado por la duda de quién había sido y pidiendo responsabilidades al gobierno de turno. Pensaba, tal vez más con el estómago que con la cabeza, que los atentados eran obra de un grupo islámico como venganza por la participación de España en la guerra de Iraq y que los autores materiales eran, al hilo de lo que la versión oficial filtraba a la prensa, los islamistas que supuestamente se suicidarían pocas semanas después en el famoso piso de Leganés. Pero como la verdad manipulada es tan frágil como la línea que divide la moral de la indecencia y la lucha encarnizada por el poder, fue así como empezó a orquestarse la gran mentira de estado.

Las primeras investigaciones se centraron, en tratar de averiguar quién estaba detrás de esos autores materiales, por tanto, en averiguar quiénes eran los auténticos cerebros intelectuales de la masacre. Todo parecía evidente hasta que la oficialidad se empezó a tambalear y la filtración a los medios de los primeros tomos del sumario instruido por el juez Del Olmo nos permitió reparar que había una multitud de detalles de la versión oficial que sencillamente no se ajustaban a la realidad. Se originó, entonces, lo que algunos insistieron en calificar como la teoría de la conspiración y los *conspiranoicos*. Había, sin embargo, algo evidente. El número cuantioso de incoherencias que se estaban descubriendo en torno a las pruebas era de tal calibre, que se empezó a sospechar que las pruebas del caso podían haber sido manipuladas y que podría existir una presunta trama policial. Bien para colocar pruebas falsas o bien para manipular lo encontrado. Y ahí tenemos el caso de la famosa mochila de Vallecas, del explosivo encontrado en la Renault Kangoo, el Skoda Fabia para transportar a los terroristas o tal vez los falsos terroristas suicidas, que nunca existieron.

Fue, a la sazón, cuando el químico perito Antonio Iglesias, uno de los peritos independientes designados por la Asociación de Ayuda a las Víctimas del 11-M, publicó el libro Titadyn y se empezó a vislumbrar la mayor de las mentiras: la de que en los trenes estalló Goma-2 ECO, cuando en realidad lo que estalló fue Titadyn. Esto cambió completamente el rumbo de los acontecimientos, porque, ¿cómo se puede cerrar un caso si no conocemos el arma homicida, si no sabemos quién colocó las bombas ni tenemos la certitud de dónde se situaron exactamente? Pero es que, además, los tribunales no han reconocido siquiera identificar a los presuntos autores intelectuales de la matanza. Si fue un atentado de Al Qaeda, ¿por qué el Partido Socialista quería relegar el 11-M al cajón del olvido? ¿Por qué Rubalcaba obstruye la investigación hasta el punto de haber retrasado un año la entrega de algo tan simple como la lista de los Tedax que intervinieron en la recogida y traslado de las muestras? Y si fue un atentado de ETA, ¿por qué el Partido Popular tampoco se atreve a hablar del 11-M? Demasiadas preguntas cuya respuesta empieza a vislumbrarse cuando menos como nauseabunda.

Como muestra, Juan Jesús Sánchez Manzano, el que fuera jefe de los Tedax, y presuntamente el adalid de la trama, interrogado hace algunos días como imputado por una querella de la Asociación de Ayuda a Víctimas del 11-M, que le acusa de ocultación de pruebas, falso testimonio y denegación de auxilio a la Justicia por la destrucción de casi todos los restos de los explosivos y su negligencia a la hora de identificar el tipo de dinamita utilizada por los terroristas. La sospecha recae en el hecho de que Sánchez Manzano ha pedido por escrito a la juez de Madrid ser investigado por terrorismo. ¿Qué está ocultando o a quién está protegiendo? Pero es más. ¿A alguien le puede caber la menor duda de que el hecho de que la juez haya llamado a declarar a todos los componentes de los Tedax para saber que ocurrió con las muestras de los trenes es una prueba más que evidente de que la historia judicial del 11-M dista mucho de haber concluido como muchos pretenden por activa y por pasiva? ¿Alguien puede dudar que quizás estemos ante un atentado del que no solo no tenemos ninguna certeza, sino que del que solo hemos escuchado una sarta de mentiras? Unos para acallar cómo llegaron al poder y otros para no hacer ruido y heredar el poder sin sufrimientos. Tal vez esto sea lo peor, la enfermiza obsesión por recubrir desvergonzadamente todo aquello que tenga que ver con el 11-M, como si a nuestra casta política le produjese una urticaria de difícil curación.

Lo único cierto, a fecha de hoy, es que las víctimas del 11-M siguen pugnando por saber la verdad de la masacre. El mejor homenaje a las víctimas no es un monolito de piedra –cosa que les encanta a nuestros políticos- para tapar las vergüenzas de tanta mentira repetida y tanta miseria escondida. El mejor homenaje es hacer justicia a las víctimas. Ojalá que ahora que han pasado siete años, como en las plagas bíblicas, se empiece a conocer la verdad. Por suerte, nunca es tarde para hacer justicia.

Spain is different

El mundo entero no cesa de celebrar la muerte del más sanguinario terrorista internacional, abatido tras más de una década en busca y captura. Y los norteamericanos, en medio de una unión envidiable, se han lanzado a las calles compartiendo la alegría de ver desaparecer a un terrorista que ha cambiado sus vidas y su nación para siempre. Por supuesto que la muerte de Osama Bin Laden, tiene el simbolismo de un importante triunfo bélico y un éxito para la batalla psicológica. Con todo, para nada maquilla el que Occidente siga siendo objetivo prioritario del fundamentalismo salafista más radical. No olvidemos que se siguen produciendo atentados -el último en Marrakech- y que el número de muertos en nombre del islamismo radical no tiene fin.

Sin embargo, uno siente una horda vergüenza cuando en España el gobierno en pleno se felicita porque Estados Unidos ha acabado con el cerebro del 11-M y que se ha hecho justicia a las víctimas del mayor atentado de la historia de España. Mienten y lo saben. ¿Acaso Bin Laden reivindicó el atentado de Madrid y uno en su despiste congénito no se ha enterado? ¿Tal vez forma ahora parte del *establishment* oficial que el saudí diera la orden, lo reivindicara y fuera el responsable de poner las pistas falsas? Y es que solo hace falta leerse la sentencia del 11-M para certificar que en ningún momento se acusa a Bin Laden.

Confieso que cuando veía en televisión las imágenes de toda esa gente agolpada en las principales ciudades norteamericanas, tuve la sensación y la convicción personal de que se había hecho justicia. A nadie le puede extrañar. Estuvieron juntos en el duelo común contra el terror, sin luchas partidistas y sin acusaciones de quién tenía la culpa y lo están ahora, cuando se ha hecho memoria, dignidad y justicia para con las víctimas. Y mientras tanto, en este país, con una mezcla por igual de indignidad, bochorno y corrupción institucional, se legaliza a la ETA, bajo el paraguas de su enésima marca blanca, Bildu. Es vergonzoso que el Tribunal Constitucional, la instancia judicial más politizada en España, haya decidido que Bildu concurra a las elecciones, pese a las evidencias presentadas por las Fuerzas de Seguridad del Estado de su relación irrefutable con la banda sanguinaria. ¿A quién pueden engañar? ¿Alguien tiene dudas de que Bildu es un títere con chapela perfilado por los terroristas para volver a los escaños y disfrutar de una fuente de ingresos públicos con los que seguir alimentando su maquinaria criminal? ¿Quién puede negar que, gracias a esta decisión escandalosa, van a volver a tener acceso al censo electoral y facilitar el acceso a sus objetivos?

Y en esas estamos. Mientras algunas naciones combaten con todas sus armas el terror sin complejos, en otras naciones Otegui, sigue siendo un hombre de paz para el gobierno. De Juana Chaos, ni sabemos dónde está. Josu Ternera, de *road show* por toda Europa bien mimado. El batasuno Rafael Díez Usabiaga excarcelado para cuidar a su mamá. Se incautan actas al etarra Thierry que desvelan las negociaciones del gobierno con la ETA. El aparato de extorsión de ETA, recibe chivatazos para que huya de la policía. La tigresa, una de las mayores asesinas de la banda, siendo acercada a una cárcel cerca de su casa y para colmo de la desfachatez, los etarras Fernando García Jodrá y Nerea Bengoa Ziarsolo, integrantes del comando Barcelona, han recibido luz verde para someterse a un tratamiento de fecundación in vitro en el Hospital Reina Sofía de Córdoba. Y ahora, Bildu en las instituciones.

Y mientras tanto, los proetarras celebrándolo por todo lo alto en Bilbao, con el puño levantado, con vítores a favor de los presos de ETA, cantando el *Eusko Gudariak*, himno del soldado vasco y tradicionalmente utilizado por el entorno proetarra. Y por si fuera poco, Andrés Errandonea, un preso histórico, enarbolando una pancarta a favor de Bildu al salir de la prisión. Y uno se pregunta, ¿aquí no pasa nada? Me temo que lo que pasa es la honda diferencia que existe entre ambas naciones en la lucha contra el terrorismo. Se podrá pensar que los norteamericanos son histriónicos, que su puritanismo es cuando menos excedido. También se podrá decir que Reagan era ultraconservador, que Obama ha resultado ser una decepción, que Op rah Winfrey es una diva o que Hollywood un sueño imposible para la mayoría. Pero lo que nadie podrá negar es que en los Estados Unidos es inconcebible que una organización terrorista se presente a las elecciones, que reciba la bendición de la justicia y que además reciban fondos públicos. Pero es que, además, sería impensable que los medios de comunicación, encamados con los partidos políticos de turno, obstruyan la investigación sobre un atentado terrorista y encima los periodistas independientes que luchan contra viento y marea para que se haga justicia sean unos agoreros y unos *conspiranoicos*. ¡Qué diferencia más abismal! No nos engañemos. Estados Unidos es execrable para cierta izquierda inteligente y para la derecha acomplejada. Por desgracia, viendo lo sucedido estos días en España, uno llega a la conclusión de que las víctimas del terrorismo en España tienen que estar dando saltos de alegría por sufragar con sus impuestos a los terroristas de escaño. El sabio tenía razón, *Spain is different*.

Gracias Regina

Se funde a negro la pantalla de mi ordenador y todavía tengo esa extraña mezcla de indignación, de rabia, de impotencia, de pena desmedida, de llanto sin lágrimas. El documental de *Libertad Digital TV* ha acabado y cuesta hacerse a la idea de que Regina Otaola se va. Y lo hace del mismo modo que vino.

Sin hacer ruido. Se va la alcaldesa que ha osado plantar cara al terror de las pistolas con la palabra y la ley como únicas armas. Y ahora, más que nunca, cuesta aceptar que se acaba todo y que Lizarza volverá a ser un bastión de los proetarras. Máxime porque gracias a la corruptela constitucional regresarán las amenazas y las coacciones. ¿Por qué lo bello suele ser tan breve? ¿Por qué nos cuesta tanto digerir que se acaba un tiempo de libertad y que algunos prefieren ver cómo pasa la vida mientras otros se la juegan día a día?

Y pese a todas estas preguntas, Regina Otaola seguirá ahí. Haciendo cola a las puertas del INEM, pero tan noble y tan genuina. Tan inolvidable que ni el tiempo, ni el apagón informativo, lograrán que la olvidemos. Porque todas las sociedades tienen sus símbolos. Porque ella va a seguir sin callarse y no va a claudicar. Aunque su vida se encamine, como la de tantos y tantos exiliados, fuera del País Vasco. Porque ella, que nunca ha querido protagonismo, ha sido tan honesta que ha adecentado la política con su presencia. Ha sido tan valiente que solo una heroína puede sonreír a sabiendas que los del terror van a heredar su legado. Y no solo ha sido capaz de mirarles cara a cara, clavarles la mirada y desafiar su odio, sino que nadie ha podido hacerle inclinar la cabeza. Ni siquiera la del párroco del pueblo, que en estos años no se ha querido dirigir a la alcaldesa, tan solo mediante una carta exponiendo sus necesidades.

Se nos va un símbolo. Sin embargo, tengo la sensación que pocos conocen que existe un municipio enclavado en un hermoso paraje de Guipúzcoa, de unos 600 habitantes, de carácter rural y que durante los últimos treinta años, hasta la llegada de Regina, ha estado gobernado –con sus diferentes marcas blancas- por Batasuna. Pero la historia puede cambiar. Y así lo hizo. Y Regina gobernó para todos, atendiendo las necesidades de sus vecinos, como una alcaldesa más, sin preguntar por la ideología ni por la bandera. Y no solo eso. Solamente una mujer valiente y sin complejos puede tomar como primera medida izar la bandera española en un Ayuntamiento, que había estado presidido exclusivamente por la ikurriña. Solo una mujer valiente puede mantenerse firme ante la presión y las amenazas por parte del entorno batasuno. Solo alguien por cuyas venas corre una sangre especial, puede seguir hacia adelante sobrellevando la crudeza del miedo, los gritos malsonantes y las amenazas de muerte. Solo una mujer con semejante casta puede cambiar el nombre de la plaza del pueblo que homenajeaba a un terrorista por el de Plaza de la

Libertad. No han sido gestos sin más. Ha sido una batalla quimérica que, entre otras medidas, ha permitido que se borraran las pintadas proetarras de las calles del pueblo. Y esto nunca se olvida.

Ahora Lizarza, el paradigma de la libertad por excelencia, agota sus últimos días. Nadie podrá borrar las huellas de este símbolo que ha hecho cumplir la Ley por igual a todos, que ha amparado a las personas frente al despotismo de los violentos y que ha reivindicado la libertad frente al totalitarismo. Vuelvo a poner el final del documental. Y mientras pienso que estoy presenciando el final de un ciclo, me doy cuenta que tienen razón aquellos que afirman que las emociones requieren de un tiempo prudencial para ser asimiladas. El sol se esconde entre la frondosa arboleda del paisaje guipuzcoano y allí mismo, entre una espera sin esperanza, se calla la libertad. Regina ha escrito una pequeña parte de la historia de España con su entereza y su dignidad. Y Lizarza será siempre un referente. Siempre. Porque, por fortuna, los referentes no se aniquilan tan fácil. Ni con Bildu, ni con el silencio, ni con las coacciones, ni con las pintadas. Gracias Regina por tu dignidad y tu buen hacer. Y por haber defendido la libertad, la memoria y la justicia en el epicentro del batasunismo, allí donde hacerlo es el súmmum de la hazaña.

Morfina contra ETA

No puedo evitar sentir un profundo desasosiego cada vez que pienso que Bildu está en las instituciones. Tal vez sea porque esta noticia bate el récord de los horrores de este año. Y mira que si habláramos de horrores, podríamos escribir una antología, máxime por la ruina económica que se nos avecina. Con todo, hay una gran diferencia. Mientras la ruina económica dispone de mecanismos para controlar la supuración de una tragedia que se anuncia por capítulos y que tiene solución a largo plazo, la ruina moral de la marca blanca de ETA, deja unas heridas que difícilmente pueden cicatrizar sin dejar secuelas, amén de un dolor que nadie podrá mitigar. Sobre todo, aquellos que por una argucia del destino han padecido el zarpazo del terrorismo y ahora se sienten derrotados, como afirmó hace tan solo algunos días Francisco José Alcaraz, presidente de Voces contra el Terrorismo.

Alguno con un paternalismo enfermizo pensó que si se permitía la entrada de Bildu en la vida pública, se normalizaría el sempiterno conflicto del País Vasco. Otros se escandalizaban entre sollozos varios y argumentario oficioso, alegando que su no presencia impediría dar voz a millares de personas. E incluso, algún otro llegó a afirmar que si no se permitía su entrada en las instituciones, sería un atentado contra la libertad de expresión y contra la democracia. Y ahora todo el mundo se sonroja y se lleva las manos a la cabeza porque le han visto las orejas al monstruo, el mismo al que muchos han alimentado. Pero, ¿alguien fue tan ingenuo como para creer que los incondicionales de los terroristas iban a amoldarse a las reglas del Estado de derecho? ¿Hay alguien tan torpe como para haber puesto en tela de juicio lo que iba a ocurrir cuando muchos, entre una miscelánea de amenazas e injurias, señalamos que el gobierno se estaba arrastrando, cual babosa, ante ETA?

Pese a todo, soy de los que piensan que esta derrota colectiva no es solo fruto de un gobierno indigente que ha vendido su alma como un mal aprendiz del Fausto de Goethe y que ha propiciado que ETA esté en las instituciones, con la inestimable ayuda de un Tribunal Constitucional prostituido hasta el tuétano. Esta sumisión ante ETA es, de igual forma, una derrota de la sociedad civil que no puede obviar su parte de responsabilidad, además de ser un fracaso en lo individual. Y digo individual, porque es muy fácil usar ese mantra repetitivo y cansino de creer que las manos de los terroristas no son como las nuestras, blancas e inmaculadas. Que no son más que seres ignominiosos de la condición humana. Que su odio patológico a los que no piensan como ellos no forma parte de nuestros genes, que sus crímenes son algo que jamás perpetraríamos nosotros. Es muy fácil, por tanto, esbozar una línea que separe las emociones y las conductas entre el monstruo batasuno y nosotros, ciudadanos que aspiramos a ser iguales y libres. Resulta tan sencillo pensar que jamás colaboraríamos con ellos mientras aceptamos religiosamente, como si nada hubiera ocurrido, los casi novecientos muertos y los millares de exiliados. Siempre echamos la culpa a los demás, sin pararnos a pensar cómo podría yo haber contribuido a detener semejante infamia.

Yo también lo hago. De hecho, mientras suenan en mi ordenador los nocturnos de Chopin, quizás en el mismo instante en que escribo este artículo, los mismos que se jactan del dolor de las víctimas estén maquinando nuevas extorsiones o un atentado. Y esa es la desgracia. Que mientras nos rodeamos de telebasura, de conversaciones vacías, de vidas que se asemejan por pertenecer al mismo rebaño, utilizamos todos estos elementos como morfina de la realidad. Y seguimos con nuestra vida, oímos música para confundirnos, para aislarnos del dolor. Hacemos un uso desmedido del lenguaje para que no llegue a nuestros oídos el taciturno llanto de las víctimas. O nos inventemos mundos paralelos para huir del ensordecedor ruido al que entre todos hemos condenado al mundo real, del que todos somos partícipes. ¿No será, pues, mi pasión y mi borrachera musical con Chopin mi particular mundo virtual?

Y es que, ¿a quién le importa que la presencia de Bildu sea un asunto crucial para los terroristas gracias a los casi diez millones de euros que van a gestionar si tenemos el festival erótico-futbolero a todas horas? ¿A quién le importa que nuestros datos fiscales estén de nuevo en sus manos si para no pensar tenemos Teledeporte a un golpe de mando y un silencio informativo de la televisión progubernamental para contribuir a ello? ¿Quién se avergonzará envuelto en la telebasura patria de que Martín Garitano haya tomado posesión como diputado general de Guipúzcoa insultando a las víctimas del terrorismo y agasajando orgásmicamente a Otegi? Y mientras pensamos en nuestras merecidas vacaciones de verano, ¿olvidamos que no pocos vascos volverán a sentir el miedo en sus carnes, temiendo que de nuevo vengan los tiempos más funestos, los tiempos del silencio, de las amenazas, de la violencia verbal y física y de las cabezas gachas?

Tal vez en el mismo instante en el que escribo estas líneas, mientras los terroristas y quienes les apoyan, celebran la victoria y sienten el sabor dulce del arrodillamiento del Estado de derecho frente a su totalitarismo, sus víctimas tiemblen de miedo, vomiten sangre, sientan un vacío inmenso y sigan reclamando memoria, dignidad y justicia, si aún les queden ganas. Y muchos nos preguntamos, ¿de qué ha servido tener a ETA al borde del abismo, asfixiarles económicamente, ahogarles policialmente, ilegalizar su brazo político, si permitimos que quienes no condenan sus crímenes, sus cachorros y sus protegidos, vuelvan a las instituciones y pongan como modelo de heroicidad a los terroristas encarcelados, mientras escupen en la memoria de las víctimas? ¿Ha merecido la pena tanto sufrimiento?

Pero yo sigo aquí, sentado frente a mi ordenador escuchando y bebiéndome la música de Chopin, como mi propia morfina contra el dolor, contra el dolor de tantas víctimas que claman justicia, mientras en la vorágine de esta canícula veraniega olvidamos las tragedias colectivas con el disfrute individual y playero, quienes aún puedan y sobrelleven en la mochila la ruina cósmica. Lo siento, aunque solo tenga como armas la palabra y la belleza de la música de Chopin, yo no me resigno.

No se trata de avergonzarnos de nuestra condición de seres imperfectos y víctimas del sistema. Acaso la solución consista en rebelarnos contra el poder establecido, contra la infamia del chivatazo del bar Faisán, contra la rendición ante la ETA. Tal vez la solución sea recordar a cada minuto el dolor de tanta víctima y sobre todo, pensar en el sufrimiento de todos aquellos que, a partir de ahora, volverán a mirar a su espalda por carecer de escolta cada vez que caminen por la calle. Tal vez la solución radique en indignarnos- ahora que está tan de moda semejante vocablo- y pensemos a quién votamos la próxima vez. Quizás sea el momento de no comulgar con las ruedas de molino oficiales. Aunque ya sea un poco tarde.

Yo no me resigno. Y no tengo porqué pedir perdón por ello. Me niego a formar parte de una sociedad en la que, parafraseando a Camus, las víctimas son torturadas, vejadas y humilladas mientras los asesinos abandonan sus prisiones y sus lacayos ocupan los asientos que, por dignidad, nunca deberían haber ocupado.

El síndrome de Portugalete

Andan estos días ciertos amigos de la propaganda oficial y oficiosa afirmando que ETA está acabada y que semejante hecho está tan asumido por los españoles que no tendrá ningún rédito electoral. Sin embargo, viendo como el PSOE está actuando nadie lo diría. Están tan desesperados por maquillar una derrota que será histórica, que balbucean mendigando un apaño con los terroristas. Y para ello son capaces de vender hasta su alma. O como dijo un ínclito diputado socialista, si les hace falta hunden otro barco. Así que visto lo visto uno tiene la sensación que quieren dejar a Lucifer como un mero aprendiz. O puede que estén obsesionados en hacer un remake de El aprendiz de Satanás, esa espantosa película de Jeff Lieberman en el que un niño está encaprichado con un videojuego en el que el protagonista, al servicio de Satanás, debe causar dolor y muerte a los ciudadanos para acumular puntos.

Sin embargo, me temo que el talento de los guionistas del PSOE es tan efímero como inabarcable. Y no será por falta de material y de ideas. Ahí tenemos el comunicado de ETA en formato sitcom, o las carantoñas interesadas del ínclito Garitano a la ministra Garmendia o la cacareada disolución de Ekin. Si esto ya es de por sí la exégesis perfecta para un thriller con txapela, el culmen viene de la mano de la obcecación de este gobierno de infundir a la opinión pública, y por ende a la ciudadanía, del fin de la violencia y venderlo como un triunfo de P. – dícese Rubalcaba-, el portavoz del gobierno de los GAL, el titán del 11-M y presunta X del Bar Faisán. Este guión ya nos resulta familiar. Y ya sabemos de la obsesión de ciertos estrategas del PSOE por jugar a la neolengua y marear la perdiz de los cerebros de los españoles.

Con todo, lo más deleznable del asunto es que tengamos un lehendakari víctima del síndrome de Portugalete– léase ese shock que ha hecho que mucha gente haya sido indulgente con los asesinos y sus razones-. La pregunta es muy sencilla. ¿Cómo puede el máximo dirigente de una sociedad aquejada históricamente de un miedo crónico ser incapaz de levantar la voz contra la dictadura abertzale y protagonizar un esperpento valleinclanesco para que no haya vencedores ni vencidos? Y tal vez por ello, torturado por ese síndrome, López ha actuado equiparando a los verdugos con las víctimas, con una total ausencia de conciencia moral y una amnesia a la hora de recordar cuando menos sorprendente. Qué rápido ha olvidado que ETA planificó atentar contra él con un fusil de precisión en

2010, cuando participó en los actos de aniversario del asesinato del inspector de policía Eduardo Puelles.

Y así ya en el poder, apoyado por el PP no lo olvidemos, ensimismado en ese síndrome, López como las folclóricas ha dado todo lo que llevaba dentro. Pero ni Patxi es Concha Piquer ni mucho menos Imperio Argentina. Así que me temo que lo que llevaba dentro es aquello que ya alertara en su día la madre de Joseba Pagazaurtundua, cuando le recriminó que haría cosas que nos helarían la sangre. Y desde luego no se equivocó. Este gobierno vasco se está rindiendo ante ETA sin ánimo de dar batalla. Un gobierno carente de cualquier signo de comprensión con el sufrimiento, la dignidad y el recuerdo de las numerosas víctimas de unos asesinos que ni han pedido perdón ni mucho menos abandonar las armas salvo que obtengan compensaciones políticas. Es el mismo gobierno que ha concedido el Premio Euskadi 2011 de ensayo al terrorista Joseba Sarrionaindía, condenado por pertenencia a banda armada y fugado de la justicia. Lo cual es fantástico. Al tiempo que se silencia a las víctimas se premia a los terroristas. Por desgracia, estas parecen ser las tablas de una nueva ley, que avergonzaría al mismísimo Moisés, y que señalan los esbozos de una rendición sin condiciones ante una banda de criminales que mientras siguen enalteciendo su credo revolucionario, criminal y liberticida, se pasean impunemente por las calles del País Vasco con todas las de la ley a la par que las víctimas y los amenazados siguen viviendo el infierno del mutismo y la injuria ad aeternum. Y no solo eso, Bildu o Sortu o Amaiur o la que pertoque, o séase ETA-Batasuna, volverá al Congreso de los Diputados. Eso sí, so pena de no matar. ¿Pero para qué van a matar? Si ya han conseguido lo que querían. Si están radiantes. Si han conseguido lo que buscaban, es decir, malear el lenguaje, dividir a la sociedad, sumergir al rebaño que se deja manipular por el síndrome de Portugalete, señalando a buenos y malos, marcando con cruces a los malos patriotas vascos, dirigiendo la diputación provincial de Guipúzcoa y teniendo acceso a nuestros datos fiscales. Por tanto, utilizar de nuevo las instituciones para conseguir sus objetivos. Ni en el más placentero de los sueños con Sabino Arana podían los batasunos sospechar que les iba a resultar tan fácil conquistar el poder político. Y todo ello sin entregar las armas y sin una condena explícita de los crímenes perpetrados.

El guión no puede ser más tenebroso. Primero matan, amparándose en la represión. Después torturan a los empresarios exigiendo el diezmo para la causa. Luego matan para exigir la independencia. Y finalmente, en medio de la locura, exigen el poder sin abandonar las armas. Y para colmo, se les concede. Rubalcaba, López, ZP y Pascual Sala estarán orgullosos. Todo esto es obra suya. Triste epílogo para un país que se va por el sumidero mientras ETA pasea su ikurriña y su serpiente por las instituciones. Bonita herencia de Zapatero.

La Farándula de ETA

La izquierda ya no disimula sus simpatías por la ETA. Y no solo porque Rubalcaba diga que la derrota de ETA es un empeño de la derecha, sino porque Willy Toledo, el gurú espiritual de los indignados -cuyo silencio sobre el tema resulta cuando menos sospechoso-, se deja fotografiar con el número de recluso de un terrorista y presenta su libro de la mano del hijo de Otegui y del ínclito alcalde bilduetarra de San Sebastián, Juan Carlos Izaguirre. Menudo elenco paradigma de la ilustración. Pero ya sabemos de las simpatías de cierta izquierda excéntrica que se deja fotografiar con filoetarras y apoya a caudillos como Hugo Chávez mientras humillan a las víctimas del terrorismo y denigran al estado de derecho. Sin duda, estas simpatías son motivo más que suficiente para ingresar en un frenopático si no fuera porque la lista de espera, sobre todo en ciertas regiones, es interminable. La cosa sería de risa si exceptuáramos que esta casta que nos desgobierna, y que se ha arrodillado ante la ETA, se cree que somos idiotas y que toda la sociedad va a tragar con las ruedas de molino de su hoja de ruta. Un gobierno, huelga decir, que quiere dejar el poder, cerrando su rendición ante una banda de asesinos, bajo el síndrome del miedo reverencial al nacionalismo vasco.

La última representación de esta farándula terrorista se llama Conferencia para la Paz. Un teatrillo que ya produce arcadas tan solo con reparar en su semántica. ¿Paz? ¿Pero acaso estamos en una guerra? En todo caso deberíamos hablar de una rendición absoluta ante unos asesinos liberticidas que han causado mil muertos. Y lo único cierto en esta tragicomedia, de la que no hay adjetivos suficientes para calificar toda su ignominia, es que subyace otra demostración de lo que eufemísticamente se ha dado en denominar el entorno social de la ETA y que no es otra cosa que la ETA. Pero la guinda que faltaba para bochornoso pastel era la presencia de los socialistas vascos – con la excusa de comprobar si semejante farándula es propaganda abertzale- con la excepcional compañía de UGT y CCOO. Todo para perpetrar un atentado moral a la dignidad de las víctimas. Luego, ¿dónde estaban los sindicatos en las marchas de la rebelión cívica que convocaron las víctimas del terrorismo y Francisco José Alcaraz? Desde luego, esta izquierda sindicalista cuya único remedio para llevar a la gente a las manifestaciones parece tenerla Rodolfo Chiquilicuatre, al que se han encomendado como Dios laico, levita entre la esquizofrenia y la indigencia intelectual y moral. No en vano, ya sabemos del exquisito gusto de este sindicalismo por los titiriteros y por los cruceros de lujo.

Sin embargo, lo más deleznable es que este gobierno nacional-socialista de Patxi López, está apoyado por el Partido Popular, que se proclama contrario a la farándula y apaño abertzale-socialista. A la sazón, ¿alguien nos puede explicar por qué Basagoiti apoya a un lehandakari que está de rodillas ante la ETA y que aboga por el acercamiento de los presos vascos? ¿Alguien nos puede explicar por qué no se rompe el pacto de gobierno firmado? Y es que aunque el señor Basagoiti no nos quiera aclarar nada, mendigar un papelito o esperar un vídeo folclórico de la ETA con pañuelos de alta costura con objeto de arañar unos cuantos votos es, a todos los efectos, miserable. Pero es más miserable siquiera que tenga el aval por omisión del Partido Popular. Aunque sea tan solo por la peccata minuta de que lo que se está representando ad hoc es una farándula cuyo guión ya está escrito y al que solo le falta poner en letras mayúsculas en el epitafio la fecha de defunción del estado de derecho.

Memoria, dignidad y justicia

Andan las esferas mediáticas y políticas enloquecidas con el nuevo comunicado de la ETA, inoculando en la sociedad un sentimiento de alegría exagerado y de final ad aeternum de la banda terrorista. Y es que solo hay que ver el tono del mensaje de los gudaris para ver que suyo es el lenguaje, suya es la escenografía y, lo que es peor, que suyos son los tiempos. En primer lugar, con el aquelarre de la conferencia de la infamia por bandera, con Kofi Annan y sus hermanos mártires viniendo a cobrar millonadas en el Off Broadway del Festival de San Sebastián. Y para terminar, el cortometraje ataviado con el atuendo habitual de la capucha con *txapela*. Lo de siempre. Y mientras tanto el estado de derecho de mero espectador y rindiendo pleitesía. Por tanto, el guión no es nada original. No solo no se disuelve, ni se arrepiente, ni pide perdón, sino que en el colmo de la infamia y la humillación a las víctimas, se vanaglorian de homenajear a los asesinos, conmovidos por la crudeza de la lucha que se ha llevado para siempre a su *chupipandi* asesina o andan sufriendo por las cárceles. Cárceles donde sufren y hasta se suicidan – Jone Goirizelaia dixit. ¡Qué lástima! No será el caso de Usabiaga, liberado para cuidar a su madre. O de José Luís Álvarez Santacristina, alias Txelis. O de la Tigresa, redimida para cuidar perritos en una cárcel de cinco estrellas. O de De Juana Chaos, huido de la justicia y que conmovió a la jauría con su falsa huelga de hambre.

¿Cabe mayor indignidad? Está claro que el lenguaje orwelliano no puede ser más evidente. Quieren que olvidemos, que comulguemos con las ruedas de molino de que a la ETA buena hay que condonarles el pasado, que debemos olvidar los trescientos crímenes que todavía están por esclarecer. Sin embargo, algunos nos negamos a olvidar. Aunque solo sea por el pequeñísimo detalle de que las víctimas del terrorismo no son cifras en medio de obituarios destinados a los libros de historia. Las víctimas tenían rostro, sonrisa, miradas y proyectos. Eran padres y hermanos. Civiles y militares. Políticos y ciudadanos. Hijos o abuelos. Eran de los nuestros y por eso les mataron.

Y para que no recordemos resulta de vital importancia sumergirnos en una amnesia y, por tanto, embaucarnos en una fiesta con tonadilleras, amenizada con los coros y danzas del pesebre patrio. Una fiesta excesivamente cara y que además ni se sabe quién la ha pagado. Todo para que olvidemos aquel maldito 17 de octubre de 1991, uno de los días más infectos de esta nación, o lo que quede de ella. Ese día en que una niña de trece años, Irene Villa y su madre, María Jesús González, sobrevivieron con graves amputaciones a un coche bomba. Irene perdió las piernas y tres dedos de una mano. Su madre perdió una pierna y un brazo. ¿El pecado de María Jesús González? Ser una enemiga opresora de los vascos, trabajando de funcionaria en la policía, motivo más que suficiente para colocarle una bomba lapa en su coche. Y atentado del que no se arrepienten. No en vano, la fecha elegida para la mal llamada conferencia de Paz fue el vigésimo aniversario de semejante afrenta. Quieren que olvidemos y para ello pervierten el lenguaje, pero algunos no podemos dejar de llorar pensando en las veinticinco vidas que De Juana Chaos y Troitiño sesgaron al filo de las ocho de la mañana de aquel 14 de julio de 1986 en la Plaza de la República Dominicana de Madrid. Quieren que miremos hacia el futuro, pero algunos no podemos dejar de pensar en las víctimas inocentes de la casa cuartel de Vic, donde murieron nueve personas, cuatro de ellas niños. Ni tampoco podemos borrar de la memoria al matrimonio Jiménez Becerril, ni al doctor Muñoz Cariñanos, ni a Fernando Múgica. Ni a las veintiuna víctimas de Hipercor, cuya herida me acompañó durante mi infancia. Ni a Fernando Buesa y su escolta Jorge Díaz. Ni a Gregorio Ordóñez. Ni a Ángel Alcaraz y sus hijas. Ni a tantos otros. Tantos como 857.

Quieren que cerremos los ojos, y que olvidemos el Caso Faisán y el chivatazo a la ETA. Quieren que no hagamos memoria del porqué de la destitución de Fungairiño, bastión de la lucha antiterrorista. Todo porque no interesaba que siguiera deteniendo terroristas con firmeza, era indispensable para el proceso. Quieren que olvidemos los 300.000 exiliados y los más de 10.000 heridos. Quieren que no escarbemos más en las cloacas de Interior para que no seamos partícipes del apaño al que se ha llegado con los asesinos, negociando con la sangre de tantos inocentes. Quieren que no molestemos, envueltos en el espíritu de las falacias y de la amnesia colectiva. Quieren que arrinconemos en los anales de una funesta historia, que tanto les incomoda, ese 4 de agosto de 2002, el día en que asesinaron a Silvia, la hija de Toñi Santiago en Santa Pola. Quieren que olvidemos y que no levantemos la voz ni denunciemos que se haya construido una cárcel de lujo en Nanclares de Oca para que allí vayan los terroristas más sanguinarios. Y así lo quieren porque esa es la política que ha defendido con uñas y dientes el lehendakari López, el acercamiento de presos. O las confesadas comidas de Josu Ternera con Txusito Eguiguren, presidente del Partido Socialista del País Vasco, condenado firmemente por maltrato a su ex pareja -con el silencio infecto de las feministas del PSOE-. Tal vez entre gamba y gamba hablaran de las víctimas que ideó Ternera en la casa cuartel de Zaragoza, antes de convertirse en presidente de la Comisión de Derechos Humanos del Parlamento Europeo, cuyo quehacer ya era más que suficiente para cerrar semejante órgano. Pero no nos engañan. Porque parafraseando a Goebbels, son muchos años de mentiras como herramienta política cotidiana. Y pese a tanto desprecio a las víctimas quieren que nos callemos. Pero algunos nos negamos a hacerlo.

Y nos negamos porque el gobierno de la nación ha mendigado un pacto con una organización terrorista como ETA para que deje de perpetrar atentados. Ha buscado la rendición del Estado de derecho, obviando aquello que decía Winston Churchill de que si la guerra es una invención de la mente humana la mente humana también puede inventar la paz. Y no puede haber una paz sin honor. Y no puede haber una paz sin justicia, sin vencedores y vencidos. Eso es lo que quieren, que olvidemos, que enterremos el pasado, que hagamos una omertá emocional y que banalicemos el mal, como bien expresó la escritora judía Hannah Arendt. Banalizar ese mal es precisamente pulverizar la memoria de los 857 fallecidos víctimas de su totalitarismo, su fanatismo y su esquizofrenia ideológica. Es banalizar la muerte de Miguel Ángel Blanco o los 532 días que estuvo José Antonio Ortega Lara en un zulo al borde de la muerte. Admitir ese comunicado es banalizar la sangre de tantas personas que reclaman y se merecen justicia con mayúsculas. ¿Qué es lo que esperan? ¿Que nos callemos, qué miremos hacia otro lado, qué claudiquemos, qué traguemos sin rechistar con el mantra de los asesinos, qué lo asumamos como una cosa normal? Se empieza banalizando las palabras y se acaba de rodillas ante unos asesinos festejando, además, que dejen la violencia sin pedir perdón a las víctimas. Lo peor me temo es que a la gente le encanta que le engañen. Ese es el leitmotiv de la telebasura. Me temo que el lenguaje y la estética también pueden ser un arma de difícil remedio, casi tan dañina como las pistolas. Unas pistolas que se han negado a entregar.

La incomodidad de las víctimas

A estas alturas del engendro originado con el enésimo papelito de la ETA no me cabe la menor duda que semejante oprobio erótico-festivo ha sido diseñado como espectáculo de masas para servir de acicate electoral a las sumisas bases socialistas desconcertadas con la ruina, las gansadas y los disparates del zombi Zapatero. Por tanto, poco puede extrañar el esperpento de la mayoría de los medios de comunicación entregados a la causa del guión firmado a dúo entre la ETA y el gobierno, con el visto bueno de la oposición y de la Casa Real. Un guión con unos planos demasiado estáticos y predecibles que no invitan precisamente a la originalidad. Como prueba, el repulsivo espectáculo ofrecido por las lloriqueantes hordas socialistas ante el anuncio de la ETA. Lágrimas hipócritas destinadas a manipular las emociones de un pueblo al que primero desprecian y al que luego quieren tomar por idiota. Con éxito, por cierto. Desde Rubalcaba a Patxi López pasando por Odón Elorza y acabando con los mariachis mediáticos de Gran Vía 32, cuyas dotes adivinatorias merecerían una mención especial y digna de elogio. No en vano, arrastraron a sus estrellas al teatro de la farándula donostiarra una hora después del comunicado para hacer sus programas. Pero esto es solo casualidad. Hablar de una filtración monclovita es si cabe exagerado, pese a conocer el negro historial faisanesco del Ministro del Interior de hecho y del Ministro en la sombra de derecho, Rubalcaba. Eso sí, hay que reconocerles su enorme talento. Porque la supremacía socialista es la gran maestra del agit-prop. Su capacidad de destruir es infinita pero para la propaganda son inigualables.

Y así envueltos en una especie de histeria colectiva, como la conjura de los necios, todos han querido jugar a la titiritería de los desatinos. Duran Lleida ha denigrado a las víctimas diciendo que no es hora de buscar venganza. Acaso a estas alturas, el señorito del Palace, que parece desconocer la diferencia entre venganza y justicia, ya se habrá arrepentido como buen democristiano y estará camino de *Can Sistach*, el arzobispísimo del oasis catalán, para pedir la absolución de sus pecados. Íñigo Urkullu, no ha querido ser menos que su homónimo de credo y ha pedido la derogación de la Ley de Partidos. Patxi López, de vuelta ya de Estados Unidos con su séquito de treinta y cinco asesores, quiere instaurar una oficina para reinsertar a etarras huidos de la Justicia. Y mientras Jáuregui y Rubalcaba lloran que lloran por los rincones, Otegui califica de ciertamente inmadura la petición de la disolución de

ETA. Tal vez por ello, so pena de macerar más el proceso, sea necesario, como dice el ministro Caamaño, no descartar la concesión de indultos a los presos etarras. Y para remate, la entrega de premios y la puesta en escena de la *prima donna*, Sonsoles Espinosa, cuya aparición en la antesala del Consejo de Ministros, como una nefasta Adina del *Elisir d'Amore*, ramo de flores mediante, es cuando menos todo menos anecdótico.

Y en medio de semejante astracanada circense, el silencio del PP es vomitivo. No solo porque Rajoy dice que todo se ha conseguido sin concesiones, lo cual indica no solo una desfachatez que desconcierta, sino una traición en mayúsculas a las víctimas. Pero claro, ya sabemos de la afición de Mariano Rajoy a no meterse en política y a contentar a las bases indecisas del PSOE. Es ese miedo patológico a no molestar a los mismos que les cercaron las sedes en la jornada de reflexión de 2004. No hay duda. La falsedad de nuestros políticos, del PP y del PSOE, es vomitiva y su fingimiento deleznable. ¿Les importaban las víctimas? No, les importaban los votos. Y como consecuencia, las víctimas no existen para casi nadie. Esta casta política quiere que se vuelvan invisibles porque dificultan el asqueroso apaño que casi todos han montado con la ETA. Por acción u omisión. Y por eso huyen de la concentración que han convocado las víctimas del terrorismo. Los mismos que han llorado a lágrima viva o los que ponían a las víctimas como referente moral. ¿Sería esta la razón por la que había que acabar con María San Gil? (sic) Por suerte, la Historia termina siempre por poner a cada uno en su lugar. Y este PP del que acabó harta Regina Otaola, la ex alcaldesa de Lizarza, sigue apoyando al PSE en el País Vasco. Este PP que reniega de las víctimas del terrorismo se niega a cumplir su obligación de opositar y deja a este Gobierno del Faisán que claudique ante una banda de asesinos. ¿De qué servía, pues, el asedio a Rubalcaba por parte de Gil Lázaro si no había concesiones políticas? Y es que en definitiva este PP, del que no olvidemos se borró Ortega Lara, se ha convertido en un esperpento que discurre por la oscuridad de la nada. Y me temo Don Mariano que cuando se está en la nada primero se prostituyen las ideas y después se vende el alma. Solo Goethe lo hubiera descrito mejor.

La sonrisa del demonio

Eran las diez menos diez de la mañana de un fatídico día de verano de 2001 en Leiza, un pequeño pueblo navarro donde la mafia terrorista, la de escaño y la de pistola, había gobernado a base de aterrorizar con el chantaje y la muerte. No era otro día más. Ese día era diferente. El día que marcaría la vida de Adoración Zubeldia para siempre, el umbral de noches y sueños que vagarían eternos por el nudo del dolor, la angustia y la agonía. Ese día, enmarcado como tantos otros con cifras fuliginosas para el recuerdo, los asesinos de ETA acabaron con la vida de su marido, el fotógrafo y concejal de Unión del Pueblo Navarro, José Javier Múgica Astibia.

Aquel día, los terroristas le pusieron una potente carga de dinamita en los bajos de su furgoneta para que hiciese explosión cuando José Javier la pusiese en marcha. Ya había sufrido un rosario de amenazas antes del atentado, pintadas con dianas, robos en su negocio, una furgoneta quemada. En las anteriores ocasiones tuvo más suerte que aquella funesta mañana cual drama lorquiano. Y así fue. La bomba explotó y segó la vida de un nuevo concejal, cuyo único pecado fue no aceptar en sus propias carnes el espanto del totalitarismo etarra. Zubeldia y sus hijos, cuando oyeron la explosión, inmediatamente sospecharon lo que había ocurrido. Ellos sabían perfectamente que Múgica era odiado por muchos vecinos de Leiza por el simple hecho de pensar de un modo diferente y también sabían que cualquier día podría ocurrir lo que por desgracia ocurrió. Su mujer salió al balcón y vio su cuerpo en una esquina. La explosión le había tirado a un arbusto. Su marido se estaba quemando a la vez que la furgoneta.

Como no pensar que esos bípedos malditos de Leiza, villanos disfrazados de gudaris, que disfrutaban con los asesinatos de ETA, no sentirían alguna especie de enfermizo regocijo cuando oyeron la explosión. El mismo regodeo que han sentido estos días sus asesinos durante el juicio. Txapote y Andoni Otegi, Óscar Celarain y Juan Carlos Besance. Cuatro miserables con el rostro impertérrito, como si el relato no fuera con ellos, como si Txapote no hubiera ordenado asesinar al edil navarro. Como si Otegi no hubiese puesto la bomba y los otros dos no le hubiesen cubierto. Unos criminales que en medio de la algarabía colectiva por el enésimo videozapping de la ETA, niega la legalidad del tribunal que los juzga ora con declaraciones de cierre de la Audiencia Nacional ora con constantes chulerías. Y en el otro lado de la sala la viuda, narrando con la voz quebrantada su periplo emocional, viendo como los verdugos de su marido andan mofándose de sus lágrimas y su dolor. Una viuda que relata entre sollozos su dolor congénito y aún así, entre sonrisas y cuchicheos de los asesinos de su marido, es capaz de armarse de valor y de vestirse emocionalmente de dignidad para sostenerle la mirada a uno de los criminales más sangrientos del terrorismo etarra, el ínclito Txapote. Una viuda que no pide venganza, sino justicia.

Es el mismo dolor y la misma ansia de justicia lo que hace que muchas víctimas se nieguen a convivir con las sabandijas que asesinaron a tantos inocentes. Esas sabandijas que obligaron a exiliarse a tantas personas, hastiadas de tanto dolor y asco. Esas sabandijas cuya impunidad se huele cada vez más cercana. Razón más que suficiente para no hacernos callar. Y no nos van a callar porque muchos nos negamos a considerar un triunfo del Estado de derecho el que hayan decidido dejar de alimentar sus ansias insaciables de sangre derramada so pena de lograr las locuras patrióticas de un país que jamás ha existido. Y todo ello con el beneplácito de un gobierno que no solo ha permitido que los testaferros de ETA gobiernen las instituciones democráticas sino que además ha otorgado premios literarios a un terrorista fugado de la cárcel. Que a los cómplices de estos asesinos se les haya tratado como hombres de paz es simplemente para vomitar. Máxime porque esa sonrisa del demonio, como la de Txapote, es una muestra inequívoca de que a ETA no se le ha derrotado, como tratan de que comulguemos. Por suerte, siempre hay personas como Adoración Zubeldia que en medio del sufrimiento y de la angustia es capaz de desafiar al terror con una simple mirada. Una mirada cuyo simbolismo es más axiomático y sincero que esas lágrimas de atril *mitinero*. Aunque no llenen las portadas de muchos diarios independientes de la mañana.

La mochila de Vallecas

No exagero si digo que uno de los fenómenos más asombrosos e irritantes de cualquier sociedad que se precie, es esa capacidad inherente para escurrir el bulto, como dirían los castizos, absorberlo todo y practicar un silencio informativo con objeto de soslayar que el pueblo caiga en la tentación de ese carísimo vicio de conocer la verdad, máxime en costes morales e intelectuales. Pero en este país, además, resulta de vital importancia matar al mensajero. O séase, callar a aquellos que tengan la osadía de pensar que todo aquello que nos han contado sobre los atentados del 11-M no encaja por ningún lado.

Poco le importa al *establishment* político y mediático los múltiples enigmas que subyacen con la furgoneta Kangoo o el piso de Leganés. O las falacias de cierto grupo mediático sobre los terroristas suicidas con cinco capas de calzoncillos. O que se eliminasen las pruebas del delito-dícese los trenes- antes de investigarlas. Hay que claudicar ante la versión oficial y si uno levanta la voz arderá en la hoguera de la inquisición de esa izquierda que no quiere investigar y de esa derecha que acepta de buen grado las tesis vertidas. No en vano, ya sabemos de la obsesión patológica que ha tenido este Partido Popular en averiguar lo ocurrido en aquella mañana de los últimos coletazos del invierno en Madrid, sobre todo del titánico interés de ciertos alcaldes en conocer la verdad e interponer demandas a periodistas independientes. Y servidor tiene sus dudas de que lo quiera hacer cuando gobierne. Aunque sea por el mero hecho de que ha olvidado durante el Vía crucis de la oposición de cumplir con su obligación moral de saber qué pasó realmente en el mayor atentado de la historia de España, vaya a ser que perturbara la paz (y la fiesta) de la progresía.

Ahora, pese a un nuevo silencio mediático, la versión oficial se tambalea nuevamente. La declaración de la forense Carmen Baladía, que dirigió las autopsias de las víctimas del 11-M, ante la juez Coro Cillán - que no deja de ser un caso raro en una justicia que produce arcadas - de que en ninguno de los cadáveres se hallaron restos de metralla revela con más fuerza que se crearon pruebas falsas para incriminar a los acusados y esconder a los verdaderos responsables. ¿Y qué mayor prueba falsa que la famosa mochila declarada misteriosamente en Vallecas que contenía 10 kilos de Goma 2 Eco, medio kilo de clavos y tornillos usados como metralla, un detonador y un teléfono móvil. ¿Alguien nos puede explicar por qué la Justicia la aceptó como prueba? ¿Alguien nos puede explicar por qué la directora forense no fue preguntada durante el juicio por la metralla en los cadáveres? Y este asunto no es baladí. No en vano, este liviano detalle podría haber sido clave para reabrir el sumario. Aunque, esto no interesaba, era demasiado evidente.

Por tanto, mucho me temo que ahora cuando el fango amenaza con volverse demasiado visible -y ya sabemos de la obsesión de ciertos magistrados de no mancharse las togas con el polvo del camino- se va a volver a sacar la gamuza y se va a refregar la superficie de la evidencia, limpiando con pulcritud y sin hacer ruido aquello que enturbia el alegre colorido de una sociedad aborregada y que habla de la verdadera suciedad, la que se esconde entre las grietas de esta mentira con la que han intentado que comulguemos con ruedas de molino. Se limpiará la superficie y después bastará con exprimir la gamuza, expulsando como agua sucia al cubo del ostracismo a aquellos que alcen la voz para qué se sepa la verdad. Tal vez por eso algunos nos negamos a aceptar aquello que decía el escritor William Somerset Maugham de que hay misterios que comparten con el Universo el mérito de no tener respuesta. Aunque solo sea por hacer justicia a todas sus víctimas amén de a todos los periodistas independientes y libres que se están dejando la piel en el camino para que un día se sepa la verdadera dimensión de un atentado terrorista que cambió ad aeternum la historia reciente de este país.

El nacionalismo catalán o una libertad amenazada

¿De quién será la culpa ahora?

Me han pedido testarudamente que no escriba este artículo. Que me discutirán mi catalanidad. Que, como consecuencia, no podré ni oler las puertas del pesebre. Pero nobleza obliga a ir contra corriente. O como dijo el gran escritor Torcuato Luca de Tena, de formar parte de los renglones torcidos de Dios. No engaño a nadie si digo que la soledad es inmensa si uno va a contracorriente. Principalmente, porque el librepensamiento y la libertad de opinión seguramente son más incómodos, menos sectarios, cansinos y atrevidos que el pesebrismo. Pero, por el contrario, son los únicos reductos donde uno se siente con la racionalidad a flor de piel.

Así que si hay algo que me duele especialmente en estos momentos, es el hecho de que Cataluña, región otrora más próspera de España, no haya dejado de perder posiciones no solo en España -lo que ya es grave- sino internacionalmente. De hecho, los datos señalan que Cataluña ha tenido una variación real del PIB, en casi una década, de un 2,05%, lo que la sitúa al mismo nivel que Aragón, pero por debajo de Madrid (2,51%) o Murcia (2,83%), en relación con su nivel de desarrollo y a su variación demográfica. Lo cual nos debería llevar a una profunda y serena reflexión, lejos de rechinamientos y cabezas de turco, sobre todo ahora que llueve sobre mojado y las finanzas del erario catalán se tambalean.

Por supuesto, la responsabilidad de esta situación no es exclusiva de Cataluña. El Gobierno central -que ahora pretende obligar a que el recorte del gasto en las cuentas públicas de la Generalitat no se limite al 10% que va a aplicar el ejecutivo catalán, sino que sea del 20%-, tiene su parte de responsabilidad. Debido, mayormente, al incumplimiento de sus compromisos de financiación con Cataluña, mientras no para de recordar que el objetivo de reducir el déficit al 1,3% es irrenunciable. Y eso lo dice el gobierno más despilfarrador de la historia, el que ha hundido al país, el que se exhibe como el profesor avanzado siendo el más zote de los alumnos. ¿Hemos olvidado que con un déficit público descontrolado el Gobierno se sacó de la manga el famoso Plan E, dotado con 11.000 millones de euros (en sus dos fases) para obras tan imperiosas para la economía nacional como la pavimentación de aceras, la construcción de piscinas o pistas de pádel en pueblos de mil habitantes, la iluminación de calles o la instalación de placas solares en ayuntamientos?

Con todo, este sainete de dislates no debería ser el leitmotiv perfecto para repetir el eterno mantra de que la culpa la tiene siempre Madrid. Esto no es más que la salida más sencilla, una excusa de malos perdedores para evitar la autocrítica y tapar los desmanes, la corrupción institucionalizada, el despilfarro lacónico y las locuras congénitas que ha tenido la Generalitat de Cataluña en las últimas décadas, del que el caso *Palau* es un claro ejemplo de ello y del que se ha hecho un apagón informativo sin parangón. Así que, como consecuencia, toca recortar servicios públicos y los hospitales empezarán a reducir servicios en abril en aplicación del plan de ahorro de la Consejería de Salud. Fantástico. Pero pese a semejante barbaridad, y en un ejercicio de cinismo de los que hacen época, ahora la oposición entrevé que hay material para rentabilizar el malestar social que se avecina y hace uso de sus terminales mediáticas para desencadenar una oleada de protestas contra lo que exhibe como recortes del Estado de bienestar, sin preguntarse siquiera qué parte de responsabilidad le pertoca de la ruina que han heredado los convergentes. La autocrítica para otros y las pancartas por delante, que para eso somos de izquierdas.

Porque, a la sazón, lo más fácil sería culpabilizar de los recortes en sanidad y educación a los desmanes neuróticos del gobierno de Mas. Pero como los actuales miembros de los sillones de la Plaza Sant Jaume viven sumergidos en su burbuja intangible, alejados completamente de las verdaderas necesidades de los ciudadanos, continúan con sus locuras de vaciar los bolsillos del contribuyente con medidas poco menos que manirrotas. De hecho, a nadie se le escapa que el gobierno del difunto Tripartito – que en paz descanse- fue el continuose del empezose de los gobiernos de Pujol en utilizar el dinero público como una especie de cortijo de sus ansias patrióticas. No solo porque vendieran a voz en grito las bondades del *Estatut* -que no olvidemos que solo preocupaba al 3,1% de la población, según una propia encuesta del Centro de Estudios de Opinión (CEO), dependiente de la Generalitat catalana- jactándose de que la aprobación del nuevo estatuto traería mejores servicios y una sanidad de mayor calidad. Todo un ejemplo de manipulación. Sin embargo, el que siempre culpa a Madrid de todos los males tiene un historial digno de los mayores despilfarros habidos y por haber y que, en parte, explican la situación en la que nos encontramos los catalanes.

No hay dinero para la sanidad pública, pero sí que lo hay para conceder cuantiosas subvenciones al cine catalán, o mantener -vía ubre pública- compañías aéreas en el aeropuerto de El Prat o hacer informes absolutamente innecesarios durante el difunto tripartito. Múltiples informes como los 27.000 euros gastados para averiguar qué articulistas y periodistas de los principales diarios del país revelaban mayor o menor afinidad al Tripartito, 12.000 euros para elaborar diez argumentos para fomentar juguetes no sexistas, 11.000 euros por el estudio del diseño de parchís y puzle de la casita de cartón recortable, 123.557 euros por un informe sobre Aves esteparias y 11.965 euros por el informe Estudio, factores y manejo de la chufa. Todos ellos de extrema necesidad vital para los designios de los catalanes.

No hay dinero para Sanidad, pero tenemos en pleno tijeretazo a la vicepresidenta del gobierno catalán, Joana Ortega, como una aprendiza de Robinson Crusoe de ocio por Miami, a costa del contribuyente, haciendo turismo cámara en mano, con la excusa de inaugurar un vuelo directo entre la ciudad estadounidense y Barcelona. Y todo ello mientras en la Cataluña real se emite más deuda para pagar la deuda y la austeridad llega a hospitales y escuelas en forma de cierre de quirófanos y mantenimiento de barracones. No hay dinero para sanidad, pero las subvenciones a las selecciones catalanas de manos de la Plataforma pro Selecciones Deportivas Catalanas fueron de 1,2 millones de euros. No hay dinero para sanidad pero gran parte de la deuda de Cataluña se debe a su deseo faraónico de abrir fantasmagóricas y carísimas embajadas catalanas de dudosa utilidad. ¿Olvidamos que la Generalitat se ha gastado 25 millones de euros en abrir delegaciones en Londres, París, Rabat, Buenos Aires y Nueva York, entre otras? Y es que claro, no hay dinero para sanidad pública, pero sí para que Don Josep Lluís Carod-Rovira invirtiese tres millones de euros en construir una escuela en Perpiñán para que 600 alumnos pudieran estudiar en catalán, al mismo tiempo que condenaba a estudiar en barracones a miles de niños. Pero claro, había que otorgar 120.000 euros al ayuntamiento perpiñanés para que las placas de las calles estuvieran también en catalán. Eso era fundamental para nuestro futuro.

No hay dinero ahora para sanidad, pero TV3 cuesta a los catalanes más de 300 millones de euros al año. ¿Es necesario TV3? Por supuesto que sí. Es necesario tener un canal de calidad en lengua catalana. No solo para fomentar el uso de la lengua, sino para ser un espacio en el que se refleje la convivencia, la pluralidad y el respeto. Pero en plena crisis, ¿es necesario tener cuatro canales sufragados con dinero público? Y, por si fuera poco, ahora Mas amenaza con un nuevo canal, esta vez en inglés.

Por tanto, resulta más cómodo no asumir responsabilidades y satanizar a los demás por sus pecados. Seguramente esta conducta, propia de mentecatos, no sea más que la coartada perfecta para tapar las propias vergüenzas y generar cierto desahogo, como un yoga comunitario sin opción de contemplar el Nirvana. Ya se sabe que el estudiante holgazán no puede pretender aprobar justificando su infortunio con la consabida excusa de que le tienen manía los profesores. Por el contrario, solo con esfuerzo, perseverancia, austeridad, sentido común y menos estridencias se sale a flote. Justamente lo que le falta a Cataluña en estos momentos.

Caravanas de la irresponsabilidad

Me había propuesto no hablar de la cuestión de las famosas caravanas solidarias. Sin embargo, al igual que pensaba Sócrates, la vida que no se ve sometida a la crítica no merece la pena vivirla. Tal vez sea esa la razón por lo me he decidido a escribir sobre ello. Supongo que la gota que ha colmado el vaso ha sido el que Albert Vilalta, uno de los cooperantes de la ONG Barcelona Solidaria, secuestrado por Al Qaeda, pretenda solicitar una indemnización y ser reconocido como víctima del terrorismo después del embolado diplomático en que ha metido al país además de poner contra las cuerdas al mundo occidental libre -conjuntamente con sus compis de la cuchipanda del desierto-. La crítica no procede, desde luego, de la subjetiva opinión que estaría mejor callado. En primer lugar, porque su irresponsabilidad nos costó, según la televisión emiratí Al Arabiya, entre cinco y diez millones de euros. Y, en segundo lugar, porque parece que además de dinero encima tenemos que loar sin derecho a crítica las ansias gandhianas de los inconscientes.

Algunos consideramos que la solidaridad, cuyo origen semántico proviene del sustantivo latín *soliditas*, es decir, algo físicamente entero, unido y compacto, no concuerda estéticamente con la ostentosidad, la chulería y el afán de protagonismo fotogénico y telegénico que ha caracterizado esta aventura *pijoprogre*. Huelga decir que, en su afán de protagonizar su docudrama solidario, hicieron caso omiso de las recomendaciones de las ONG. Unas entidades que desaconsejan la práctica de las caravanas solidarias por ineficaces e inseguras y apuestan por otros mecanismos para llevar la ayuda allí donde se necesita. No era necesario, pues, que fueran unos europeítos con sus trajes de safari transportando una furgoneta desde España para hacerse fotos con los oriundos del desierto.

Pero ya sabemos que la izquierda caviar, aquellos viejos herederos del comunismo, amansados a base de cargos públicos y prebendas, se enfrascaron en el desierto del Sahel entre altos cargos y mujeres de alcaldes socialistas, para redimirse en un escaparate de la buena conciencia en poblaciones que todo el mundo sabe que no son una fiesta y que necesitan mucho más que su frivolidad, a cuenta de los impuestos que los ciudadanos destinan al tercer sector. Por tanto, olvidan que hay varias maneras de enviar la ayuda humanitaria a un coste muy reducido. Pero claro eso no tiene como contrapartida ni fotos ni titulares. Así que había que saltarse las consignas recibidas de extremar la prudencia y no llamar la atención. Eso no lo podía asumir la caravana del espíritu Perón.

Por eso, en la web de la Caravana, se anunciaba, a bombo y platillo, que la salida se amenizaría con una chocolatada y grupos de música antes de partir hacia el desierto con unos camiones opulentos de logos llamativos contraviniendo las normas de seguridad y las recomendaciones de la embajada, viajando de noche sin ninguna medida seria de protección y, para rematar, informando en directo al mundo entero dónde estaban en cada momento gracias a la tecnología GPS. Fantástico. Tanta incompetencia e irresponsabilidad son asombrosas. Porque no hay que ser muy erudito para saber que un seguimiento en tiempo real ofrecido a través de GPS y de Internet está al alcance de cualquiera, sobre todo si eres un grupo terrorista proclive en tu zona y amante de secuestrar occidentales, como es el caso de Al Qaeda en el Magreb, cuya obsesión enfermiza les lleva a afirmar que España es el anillo final del salafismo en Europa.

Por supuesto que no voy a jugar a ser un fariseo con pluma y corbata y ser políticamente correcto, lo que, a mi juicio, pone en peligro la tan cacareada libertad de expresión. Pero, ¿hubiéramos asumido con total impunidad la muerte de los cooperantes en caso de que España no hubiera cedido al chantaje salafista? Sin embargo, esa impunidad moral y de opinión que muchos ciudadanos hemos tenido hacia su rescate, se convierte en una decepción nauseabunda con sus intenciones de equiparse a Pilar Elías, Irene Villa, José Antonio Ortega Lara o Teresa Jiménez Becerril. Sin embargo, Vilalta no es una especie rara. Ya en su día, Ingrid Betancourt también solicitó al Estado colombiano una indemnización por los perjuicios causados durante los más de seis años que estuvo secuestrada por la guerrilla de las FARC. Sin embargo, tras el follón morrocotudo que se montó, con críticas incluidas de la sociedad civil colombiana, la ex candidata presidencial desistió de reclamar al Estado más de 6,8 millones de dólares.

Por eso, me abochorna que tal irresponsable se aventure a compararse con una víctima del terrorismo, con tantos españoles que han sido amenazados y vilmente asesinados por negarse a vivir con mordaza, por no acongojarse ante el miedo, por defender con uñas y dientes la libertad. Tal comparación no es más que una burla y un sarcasmo que producen náuseas. Será legal, sin duda, pero no es ni estético ni moral.

Això és una dona

Me asombra profundamente la marimorena que se ha organizado por los comentarios excesivos de Marta Ferrusola, la *esposísima* de Jordi Pujol, la cual no ha tenido reparo alguno en afirmar que no le gustaría nada que el FC Barcelona sirviese de incentivo para promocionar la marca España. Horroroso, dónde vas a parar... Ya tienen los toros y las Manolas, ha objetado la musa del nacionalismo (y que me perdone Núria Feliu). ¿Pero a estas alturas nos puede sorprender? Pero si es la misma que hace no demasiados años, cuando Mena y Jiménez Villarejo–o séase la plana mayor del felipismo- quisieron encarcelar a Pujol por el caso Banca Catalana tuvo su particular desfile con alfombra roja y vivió su minuto de gloria en la plaza de Sant Jaume con la masa enfervorecida gritando bajo el balcón de la Generalitat *Això és una dona*!, cual paradoja del filósofo Ortega. Es la misma matriarca, no lo olvidemos, que afirmó que le molestaba mucho que el otrora presidente de la Generalitat, José Montilla, fuese un andaluz que tuviera un nombre en castellano. Es decir, un alegato al reparto de carnés de catalanidad según el árbol genealógico, dedicándose a la digna causa de segregar entre catalanes buenos y catalanes malos. Por mi apellido ya se pueden imaginar en qué lado del rebaño me encuentro yo.

De este modo, esta matriarca que pretende resucitar el pujolismo en las manos afables de sus delfines sucesorios, no tiene ningún reparo en mostrar en público el sarpullido astronómico y la alergia que le origina que alguien ose pronunciarle la palabra España. Eso sin contar el horror congénito de que el Barça pueda hacer publicidad a favor de la Costa del Sol, las playas del Cantábrico o de las Hurdes extremeñas. ¡Qué poca sensibilidad por la causa! La misma que muestra con un silencio cuando menos sospechoso ante las declaraciones en TV3 de la presidenta de Òmnium Cultural, Muriel Casals, que llamó maltratadores a los padres que demandan la educación bilingüe en el sistema educativo catalán. ¿Su silencio tal vez se deba a que Òmnium Cultural es una entidad muy bien subvencionada por la Generalitat catalana y que promueve la identidad nacional y el movimiento soberanista? Solo es casualidad. Pero me temo que se trata del mismo nacionalismo cerril que mientras está desmantelando la seguridad social, cerrando hospitales como el del Dos de Maig, cerrando plantas enteras en tantos otros, con una lista de desempleados que da pavor y con una ley de la dependencia cuyo incumplimiento produce vergüenza, se dedica a dilapidar el dinero. Por ejemplo, en los casi siete millones de euros que se acaban de aprobar para subvencionar a los medios de comunicación en catalán. El mensaje no da lugar a la duda. No hay dinero para sanidad pero sí para alimentar a las mamandurrias patrióticas.

Pero todo esto no le importa a la señora de Pujol. Esta ceguera propia de un provincianismo sideral, le lleva a menospreciar a un Estado democrático como es España, al tiempo que le provoca un orgasmo nacional que el FC Barcelona, paradigma hasta hace bien poco de universalidad y de apoyo a ultranza a la infancia gracias a su patrocinio de UNICEF, haya firmado un contrato multimillonario con la Qatar Foundation por el cual percibirá 150 millones de euros en cinco años por lucir su publicidad en la camiseta azulgrana.

Desconoce seguramente la señora Ferrusola, que tras la tinta de esa firma que ella misma bendice- al tiempo que demoniza todo lo que huela a España-, se esconden los fantasmas más sórdidos de una dictadura atroz y de una fundación que venera a un salafista radical –dícese de Youssef Al-Qaradâwî- que afirma que Hitler fue una bendición divina. ¿Le habrá explicado el patriarca del reino que detrás de la firma loada por ella misma se encuentra un país -y por ende un gobierno- que considera que hay una conspiración judía en los dibujos de *Pokemon*? Y esto no es baladí, señora Ferrusola. Porque como los judíos son los culpables de todos los males del mundo, es motivo suficiente para que se prohíban. ¿Le habrán explicado, acaso, que tras ese contrato se esconde una tiranía que presume de adoctrinar al pueblo y cuyo exponente más vergonzoso radica en convertir como libro de cabecera de los qataríes uno de los pasajes antisemitas más espantosos de la historia, los Protocolos de los sabios de Sión? Esto no lo querrá ni oír. Ni tampoco que detrás de esa fundación se esconde lo más execrable de una dictadura que somete a sus ciudadanos a la esclavitud, a la miseria y a la pobreza. Una dictadura, señora Ferrusola, cuyo poder político gira en torno al emir de turno y donde los partidos políticos están vetados por ley. Una dictadura, señora Ferrusola, en la cual el canal de televisión Al-

Jazeera recibe cuantiosas subvenciones del gobierno pese a ser un negocio privado y, por tanto, se convierte en el altavoz oficial del emirato donde la libertad de prensa brilla por su ausencia.

Nada de esto parece importarle a la señora de Pujol. Mientras sus delfines esquilman por doquier, despilfarran el dinero en sus ansias patrióticas, pasean su independentismo de salón y están hundiendo a la antigua locomotora económica de España -con la inestimable ayuda del extinto tripartito que en paz descanse- poco importa lo que pase allende del Delta de l'Ebre. Sin ir más lejos, si hoy mismo Ferrusola volviera a salir al balcón de la plaza de Sant Jaume volvería a escuchar de nuevo en boca de la turba, *senyera* en mano, lo de *Això és una dona!* Y es que importa poco lo que se haga. Siempre les quedará el famoso mantra de *Madrit ens roba* para que el pesebre siempre tenga lacayos que quieran morir por la causa. Eso sí, una causa muy ruinosa y muy costosa.

Comisarios lingüísticos

Según leo en la prensa estos días, la Generalitat de Cataluña ha aprobado un decreto de organización transversal de la política lingüística, una norma que, más allá de la retórica y el disfraz genuino para ocultar las intenciones, supone la creación de una red de comisarios lingüísticos que velarán por el cumplimiento estricto de la normativa lingüística en los departamentos de la Generalitat y en todos los organismos dependientes de la Administración autonómica. Es decir, en nombre de la libertad se acaba con la libertad. Poco importa, pues, que la sanidad pública esté en caída libre y que se vayan a cerrar más de cuarenta centros de salud este verano en Cataluña. La construcción de la nación es mucho más importante. Y ni se te ocurra levantar la voz en contra, que el espíritu de la Cheka edulcorado con mimbres de la Reina de corazones de la novela de Lewis Carroll y su obsesión de decapitar tal y como hizo Robespierre con María Antonieta en la guillotina, estará al acecho.

Tal vez para acallar a las voces malpensantes, diré que errores colosales se pueden cometer, sin duda. Pero cuando los errores no lo son tanto y se vulneran los derechos de los ciudadanos en materia lingüística, el abuso es inadmisible. Sin embargo, como la sociedad civil catalana- empezando por los medios de comunicación que han agradecido con la genuflexión y el silencio las prebendas que recibe del poder, máxime si son en catalán- callan por defecto. Ese sometimiento servil es sin duda el síntoma de un comportamiento que produce náuseas y que muestra la gravedad del asunto.

Quizás por eso, debido a esta servidumbre, poco puede extrañarnos que en esta Comisión Técnica de Política Lingüística transversal forme parte la directora general de Política Lingüística, Yvonne Griley, ex miembro de la junta directiva de Òmnium Cultural e integrante de Plataforma per la Llengua, dos entidades a las que le produce un sarpullido escuchar el término bilingüismo, que claman por el boicot para los empresarios catalanes que etiqueten en castellano, que tildan de maltratadores a los padres que reclaman una educación en castellano y en catalán para sus hijos y que hacen llamamientos a la insumisión fiscal. Pero, ¿nos puede extrañar algo? Si la propia Generalitat en boca de su portavoz, Francesc Homs, como si de un antisistema con coche oficial se tratase, aboga por poner la etiqueta CAT en lugar de la E en las matrículas de los coches en Cataluña? A buen entendedor pocas palabras bastan. Nos llenamos la boca con la palabra libertad, pero ciertamente no la hay. Porque hay ciudadanos que no pueden educar a sus hijos en las dos lenguas, a pesar de la sentencia del Tribunal Supremo. Y porque si bien hay libertad de expresión, todos los catalanes que osamos desafiar la opinión reinante nacionalista, pagamos muy cara esa libertad.

Ahora tenemos otro órgano, quien sabe si se trata de un indeliberado homenaje a 1984 de Orwell, para vigilar en qué hablan y cómo piensan, tal vez, los funcionarios de la Generalitat. Unos comisarios lingüísticos que no son un invento catalán, sino que se asemejan en demasía a la policía del pensamiento orwelliana, inspirada en la Gestapo y en el Comisariado del pueblo para asuntos internos ruso (NKVD) y que arrestaba a los ciudadanos que pensasen cosas que iban en detrimento de los mandatos del Partido. Salvo que esta vez estos comisarios *arturianos* no utilizarán telepantallas con micrófono integrado para permitir a los agentes de la policía del pensamiento escuchar las conversaciones. Ahora serán ellos mismos los que levantarán el dedo e informarán del delito. Triste pero real. Una obsesión liberticida de una clase política empeñada en controlar las mentes y el rebaño. Amargo epitafio de unos dirigentes que en lugar de preocuparse de los problemas de la Cataluña real y olvidarse un poco del ombligo de la oficial, están pendientes de sus intereses patrióticos. Parafraseando a Lluís Llach, a uno solo le queda decir aquello de que *no es això pel que vàrem lluitar i pel que vàrem plorar tants anhels.* Sic. ¡Qué delito utilizar a uno de los iconos de la *cançó* para denunciar que se está vulnerando la libertad! No queda otra. ¡Que le corten la cabeza!

¿Se acuerdan de Millet?

A veces el silencio resulta ensordecedor. En otras ocasiones el silencio encuentra reductos por donde la libertad encuentra su forma de expresarse. Hay también silencios infectos, silencios con muchas palabras, silencios cómplices, silencios de la nada, silencios del miedo, silencios que gritan. Y también silencios que, como en Cataluña ocultan casos siniestros. Me refiero obviamente al silencio sobre el caso Millet.

Durante años, los catalanes creíamos que vivíamos en un cuento feliz en forma de oasis con aguas estacionarias. Y así, mientras nos vanagloriábamos de criticar las corruptelas ajenas, deleitándonos con las vergüenzas de la otrora Hispania, ignorábamos o queríamos ignorar que nuestras aguas también escondían un subterfugio de trapicheos y que nuestro oasis resultaba ser más bien una charca putrefacta. Al fin y al cabo, los catalanes siempre hemos presumido, sobre todo el *establishment* oficial, del famoso mantra de gestionar como nadie el dinero, de tener *seny*, un término dotado de una honda hermosura mediante el cual los catalanes expresamos el sentido común. Creíamos por tanto, que vivíamos en una falsa *Pax Sempronia*, derrumbada por completo por la terrible obsesión de nuestra casta política de culpar sempiternamente a Viriato, con bigote o con talante, y de llevar las riendas del Reino por el camino de la corrupción y el expolio. Y de esta forma tras una antológica intervención de Maragall en el Parlament acusando a CiU -micrófono en mano- de llevarse el 3%, el respetable se llevaba las manos a la cabeza a la par que en los despachos se hacía un posterior pacto de silencio entre caballeros para evitar que saliera a la opinión pública los desmanes transversales. La imagen del oasis ante todo.

Así que llegó el apagón informativo y este país parafraseando a Gómez de la Serna tenía tan mala memoria que se olvidó de que tenía mala memoria y se acordó de todo. Pero había que tapar las vergüenzas, sin éxito. ¿Se acuerdan del juez corrupto

Lluís Pascual Estevill, ex vocal del Consejo General del Poder Judicial a propuesta de CiU? El mismo que reconoció que cometió varios delitos de cohecho y desveló una trama de intereses monetarios en la que participaban él y los abogados Juan Piqué Vidal y Juan Vives. ¿Olvidamos el escándalo de Banca Catalana con la plana mayor del pujolismo de por medio? ¿Olvidamos a Javier de De la Rosa, el modelo incorruptible de empresario catalán, que fue condenado por apropiarse de manera indebida de 68 millones de euros de la empresa Gran Tibidabo, de la que fue presidente? ¿O del ex consejero de economía Jordi Planasdemunt condenado por una descomunal estafa con pagarés falsos de la sociedad financiera BFP siendo director del Instituto Catalán de Finanzas? Eso en un lado del espectro. Pero si nos vamos a la calle Nicaragua, sede del PSC, ¿se acuerdan de la financiación ilegal del caso FILESA o del caso Pretoria, transversal hasta la médula y con implicados de ambos partidos?

Con todo, como estos asaltos a la siciliana estaban muy alejados antropológica y culturalmente de los espectáculos titiriteros de las operaciones Malayas y Cía., con la Pantoja, la Campanario y el Cachuli en el ojo del huracán protagonizando miles de minutos de la telebasura patria y de los medios de la

Villa y Corte, se creía que tenían patente de corso, puesto que en el oasis somos diferentes. El nuestro es un me lo llevo de esmoquin y de haute costure, de noches en la Costa Brava, muy alejado del folclore y las fiestas veraniegas de la España cañí.

Pero que no nos engañen. Son los mismos que se excusan en un cobarde victimismo para ir pasando el cepillo al opresor español, sin hacer autocrítica. Son los mismos que han abierto fantasmagóricas embajadas catalanas mientras recortan en Educación y en Sanidad. Son los mismos que, como un alto ex cargo de un partido independentista, se jactan de amenazar despóticamente a los indignados que se expresan en castellano en sus reivindicaciones que no se equivoquen en el mapa y que protesten e insulten en su país –léase España-. Todo por no dirigirse a los diputados en la lengua de Ermessenda de Carcasona. Son los mismos que esconden sus trapicheos y colocan a sus congéneres bajo el paraguas de la normalización lingüística y el *Fem País*. Son los mismos que nos están hundiendo y que son responsables de que Cataluña represente casi el 30% de la deuda del Estado.

Pero esto no importa. Porque mientras parte del pueblo se crea el mito de que Madrid nos esquilma en exclusiva no nos enteramos del desfalco aborigen. Al fin y al cabo, ya decía

Eurípides que cuando los dioses quieren destruir a alguien, primero le vuelven ciego. Y nada como tener la televisión pública como aliada. ¿Será casualidad que en TV3 se haya producido un apagón informativo desde que gobierna Convergència i Unió sobre el caso Millet y el presunto desvío de dos millones de euros del Palau de la Música Catalana, con CiU de por medio? Tal vez tenía razón Voltaire cuando decía que la casualidad no es, ni puede ser, más que una causa ignorada de un efecto desconocido.

¡Cuánta hipocresía! Nos llenamos la boca pensando que vivimos en un país libre, que la información es veraz y que tenemos medios libres. Que el silencio informativo y la manipulación de masas para mayor gloria de las oligarquías son cosas de regímenes totalitarios. Y visto lo visto, esto es una gran mentira. Porque hay silencios que se parecen cada día más a *El día de la Marmota*. Y para desgracia nuestra, siempre sale alguien como una pésima caricatura de Bill Murray, atrapado en el tiempo, repitiendo *ad aetérnum* aquello de *Això ara no toca.*

Hipocresía catalana

Qué inteligencia la de Ortega y Gasset cuando se refería al hombre masa como aquél que no está al mismo nivel de sí mismo, el que se encuentra a mitad de camino entre el ignorante y el sabio, que cree saber y no sabe o el que no sabe lo que debería saber. Sea como sea, esto me recuerda a la última cacicada proveniente del nacionalismo catalán. Me refiero al blindaje de los correbous para serenar el malestar de las hordas convergentes de las *Terres de l'Ebre* tras la abolición de las corridas de toros.

Atrás han quedado las palabras de Artur Mas, cuyo voto auspició el fin de las corridas, razonando que la prohibición permitía construir una Cataluña mejor para las generaciones futuras y que lo hacía por conciencia personal. Hay que ver que alarde de travestismo emocional y político nos ha regalado el que puede ser el futuro presidente de la Generalitat. Es bochornoso que los mismos principios éticos sirvan en un caso y no en otro. La tortura cuatribarrada es buena, forma parte de la Casa Grande del Catalanismo. Fantástico. Abolimos las corridas de toros y nos vanagloriamos de la tortura animal si se exhibe la estelada. ¿Acaso los correbous no dejan de ser un paradigma del maltrato animal? Por lo visto para la clase política catalana no. Quizás consideran que el animal se coloca él mismo las bolas de fuego en sus astas o se ensoga para deleitar a la masa histérica y bárbara. Quizás consideran que no es maltrato animal apalear a los toros con todo tipo de objetos, cegarles con pistolas de rayos láser o echarles arena en los ojos. Histéricos, pero catalanes; bárbaros, pero progres.

Acaso olvidan que el toro ensogado padece un fuerte componente de estrés, como asegura la Asociación de Veterinarios Abolicionistas de la Tauromaquia (AVAT). Probablemente, no sean conscientes que no tiene una fisiología preparada para encarar este tipo de situaciones y, al ser encajonado para atarle, sufre fuertes sensaciones negativas. No solo esto. La alteración de su miedo natural le produce ansiedad, lo que le afecta negativamente porque el miedo es un poderoso causante del estrés. Ya es triste tener que rebatir continuamente la sempiterna falacia de que el toro no sufre. El axioma del terrible sufrimiento psíquico y físico que padece cualquier mamífero, cuyo sistema nervioso complejo y su umbral de dolor es similar al de los humanos, no requeriría ni un minuto de dedicación. Sin embargo, solo la miopía intelectual, y haberla hayla en todos los extremos ideológicos, puede afirmar que un toro no sufre hasta el tuétano cuando se le clavan banderillas en el lomo, se le ensoga hasta oprimirle, se le ponen bolas de fuego hasta dejarle, en muchas ocasiones, ciego, se le clava una lanza hasta alcanzar el pulmón para desangrarlo lentamente o le gritan energúmenos que disfrutan con su dolor y su muerte.

Pero no. Sacamos pecho de este ritual anacrónico y consideramos una kermesse autóctona el que centenares de jóvenes corran por las calles de un pueblo, gritando cual marabunta salvaje, aplaudiendo, vitoreando, aterrorizando y torturando a un pobre animal, incapaz de discernir qué le está ocurriendo. Será oriundamente catalán, pero es una de las cacicadas más infectas del pseudo-progresismo de salón, que nos acerca más a primitivas civilizaciones que a la vanguardia de la que siempre ha presumido Cataluña. Pero no me extraña. La delgada línea que separa el ingenio del ridículo no lo es tanto como la que discurre entre la ilustración y el provincianismo. Y, desgraciadamente, la envidiada Cataluña -antaño adalid del progreso moral de la humanidad al prohibir las corridas de toros -ha devenido en un solo día en una Cataluña equiparable a la España salvaje. Eso sí, ataviada con una barretina firmada por Patricia Field.

Y mientras nos miramos el ombligo estatutario, los correbous se multiplican, a la vista de los números de este verano. Los habitantes de las *Terres de l'Ebre*, fervorosos de sus gustos primitivos y de sus orgías de maltrato y violencia acrecientan el número, la duración y los lugares donde se celebran. Todo ello, ante el beneplácito de Convergència i Unió y con la complicidad de Esquerra Republicana de Catalunya. Prohibimos las corridas pero mantenemos nuestro granero de votos. ¿Dónde está la decencia? ¿Dónde está el sentido común? Sin duda, en los cálculos electorales.

En fin, curiosa *nación* ésta, que se jacta por las mañanas de ser imponderable y disfruta con la tortura despótica de animales nobles en los días de verano. Ignoro la respuesta de nuestras señorías, pero cuando se pierde la coherencia no se puede esperar honestidad intelectual, moral y ética. Tenía razón el escritor norteamericano Joseph Heller cuando decía que en esta vida algunos hombres nacen mediocres, otros logran mediocridad y a otros la mediocridad les cae encima.

Las Jennifers

Hay que ver lo agitado que anda estos días Don Jordi Pujol - líder respetado de la Cataluña oficial- por hacer evidente que es posible el concúbito de las Jennifers con catalanes raciales. ¡Qué descubrimiento para nosotras las Jennifers catalanas! Aunque, eso sí, para que el cuento tenga un final feliz, siguiendo la doctrina Pujol, los hijos de las Jennifers deberían acabar hablando en catalán para integrarse. A imagen y semejanza de un locutor de una famosa radio fiel al gremio de los taxistas y a la doctrina pujolista y, por tanto, aceptado en la oficialidad. Todo so pena de no quedar fuera del pesebre. ¿Integrarse las Jennifers en la sociedad catalana? Según el líder espiritual del catalanismo ese es el camino. Y ya sabemos lo que le ocurre a aquellas ovejas, como es el caso de la Jennifer Caja –o sea Francisco- o Jennifer Rivera –dícese Albert- que se atreven en voz alta a discutir la inmersión lingüística en catalán y a que se cumpla la sentencia del Tribunal Superior de Justicia de Cataluña. Si no fuera porque la sangre mancha y da mala imagen, leitmotiv de la Barcelona de diseño, veríamos a las hordas entregadas a la causa de la lengua ejecutando públicamente a ambas Jennifers, en una concurrida plaza a ritmo de timbal bajo la acusación del famoso mantra de botifler.

Pero hay que ser comprensivo con el bueno de Pujol. Como siente pesadumbre por esa gente que no ha accedido al edén de la sociedad catalana, quiere que se integren por caridad. Cristiana, por supuesto, que para eso son convergentes. ¡Cuánta amabilidad con nosotras, las Jennifers! Hijas de mujeres de la España que ellos llaman mesetaria y que llevamos apellidos que marcan nuestro origen y que delatan al enorme opresor español que emerge detrás. Pobrecitas, pues, nosotras, Jennifers García, Jiménez, Rodríguez o Montilla. ¡Qué desgracia! ¿Verdad?

A decir verdad, tendremos que pedir perdón por ser hijas de esas otras Jennifers, primitivamente llamadas Cármenes- que vinieron de las Españas y que osaron desplazarse al extrarradio de la sociedad catalana emigrando de esas tierras con gente con pañuelos en la cabeza y que velaba los cadáveres en las casas, allá por Extremadura o Andalucía. ¿Verdad, Sr. Pujol? Pero no se entusiasme. Algunas Jennifers preferimos vivir en la Cataluña real, la que no muestra el mayor interés por poner una barrera y prefiere convivir con naturalidad, que ser partícipes de su Cataluña virtual. No queremos hastiarle más de la cuenta ni, huelga decir, que no pretendemos parecernos a usted o al círculo social en el que se mueve.

¿Cree usted que nosotras, las Jennifers, nos gusta codearnos con gente que se dedica a expoliar el Palau de la Musica, asunto del cual no se ha vuelto a hablar en la televisión pública? ¿Usted cree, Don Jordi, que nos gustaría parecernos a su consorte, Doña Marta Ferrussola, la cual sufriría un sarpullido si el F.C.Barcelona hiciese promoción del turismo español o a la que le molestaba que Montilla fuese un andaluz con nombre en castellano? No se ilusione, porque no queremos. ¿Usted cree Don Jordi que envidiamos parecernos al apóstol primogénito contemporáneo del separatismo -doctrina con la que usted ahora coquetea- Don Heribert Barrera? Ni lo sueñe. Porque a nosotras, simples Jennifers, no se nos ocurriría decir jamás que los negros norteamericanos tienen un coeficiente intelectual inferior al de los blancos. Cosas de las Jennifers, que no sabemos ni que significa eso de ser racista. ¿Cree usted, Don Jordi, que nosotras, las Jennifers, que, lejos de presumir de honradez sí tenemos cierto pudor, íbamos a estar tranquilas moviéndonos en los círculos en los que usted se mueve y teniendo que esquivar a tanto corrupto, saqueador y cuatrero? ¿Cree usted, Don Jordi que nosotras, las Jennifers, que siempre hemos ido con la soga al cuello, económicamente hablando, íbamos a cobrar un 3% a los constructores a los que se concede obra pública? Cosas que oímos las Jennifers de vez en cuando en TV3. No osaríamos ni plantearlo. Sobre todo, porque algunas Jennifers somos tan analfabetas que esto de los chanchullos se lo dejamos a ustedes, los que, como es su caso, estudiaron en los buenos colegios a los que solo podía acceder la burguesía catalana.

Sin embargo, Don Jordi, lo que nos molesta severamente a las Jennifers, llámenos quisquillosas, es que mientras nosotras tenemos que llevar a nuestros hijos a la escuela pública, negándoles la posibilidad, al contrario que ustedes, de recibir como lengua vehicular el castellano, además del catalán, otros, como usted, han tenido medios económicos para matricular a sus hijos en un centro privado y tener el castellano como lengua vehicular. ¡Qué desgraciadas somos las Jennifers! Porque eso es lo que han hecho, por ejemplo, José Montilla en la escuela alemana con sus hijos o Mas en el colegio Aula, para garantizar que sus hijos recibieran una enseñanza de calidad y plurilingüística. En cambio, a nosotras, simples Jennifers, nos dicen que no seamos excéntricas y que dejemos de perjudicar al niño si reclamamos mayor presencia del castellano. ¿O ha olvidado, Don Jordi, las declaraciones de la presidenta de Òmnium Cultural, a la que ustedes le conceden millonarias subvenciones, acusándonos de ser maltratadores? Malas madres que somos las Jennifers. Usted sabe que cerrando las puertas de una educación de calidad a tantas Jennifers, se asegura que no prosperen socialmente, porque usted ha vivido muy bien a costa de las Jennifers. ¿Por qué no tiene la valentía de confesar que lo que no quiere es que les quiten el puesto en su escala social? ¿No recuerda, tal vez, que gracias al esfuerzo de nosotras, las Jennifers del charneguismo, Cataluña fue otrora la locomotora económica de España? Lo sabe muy bien, pero eso no le es rentable mediática ni políticamente. Sus cachorros no se lo permitirían.

No queremos molestarle más, Don Jordi. Las Jennifers estamos muy ocupadas en llegar a fin de mes, amén de estar perfectamente hablando catalán sin ninguna connotación política. Apolíticas que somos las Jennifers. Porque nosotras, simples Jennifers, amamos el catalán. No solo porque es nuestra lengua, sino porque vibramos y nos emocionamos con Llach y Serrat. Pero, tal vez, nuestro máximo pecado sea amar también ese idioma de catetos que solo hablan 500 millones de personas en el mundo. Y ese es el verdadero motivo para que no tengamos cabida en su maravilloso Olimpo. Siga usted con su vida en esa sociedad con gente tan distinguida y siempre a la última que luego participa de quiebras tan extrañas e impunes como el caso Banca Catalana. Eso sí, desfalcos con su corbata y su traje tan inmaculado. Y mientras tanto que el pueblo vaya descalzo, que nosotros luciremos zapatos. Marx o Sandino no lo hubieran dicho mejor. ¿Verdad, Don Jordi?

El cáncer nacionalista

Si algo bueno tiene el nacionalismo para los que vivimos en Cataluña, máxime para aquellos que ya hemos generado anticuerpos contra semejante lacra, es que ya nada nos puede sorprender -y mucho menos que nos engañen-. En realidad, el mayor peligro de falsificar la realidad a los demás está en que uno, como hacen los nacionalistas, acaba inevitablemente creyéndose sus propias mentiras. Lo más execrable es que de este engaño son conscientes pocos ciudadanos. Tal vez porque muchos están más cómodos en la telebasura, auténtico sumidero venerado por el poder para controlar las mentes de la masa. Como resultado, muchos ignoran lo lesivo que está siendo para Cataluña este cáncer que desde hace años oprime a la otrora avanzadilla cultural, social y económica de España. No solo en materia económica, sino una asfixia insoportable en materia de derechos individuales, culturales y sociales.

Hace algunos meses, el prestigioso científico catalán Eduard Punset durante la ceremonia de entrega de la *Creu de Sant Jordi*- o séase la condecoración a aquellos miembros de la sociedad civil catalana que se han mostrado fieles a la religión oficiosa del *establishment* y por tanto han sido bautizados como catalanes ejemplares- osaba criticar en público a la Cataluña virtual afirmando que cuando un pueblo con una identidad muy fuerte se encierra en sí mismo, se niega a recibir las interacciones de otras culturas y de otros países, se va asfixiando, fabrica cada vez menos neuronas y acaba muriéndose en las manos de otro. No pudo estar más lúcido el maestro Punset. Menuda grosería, pensarían algunos devotos de la causa. No obstante, sorprende que no se oyeran voces suspirando que le quitaran semejante honor, bajo acusación de traición a la patria –léase la catalana-. Raro fue que no se escuchara en boca de las hordas allí congregadas lo de botifler, ese mote borbónico ascendido *sui géneris* a mantra oficioso. Aunque claro está, sería un feo imperdonable para la causa de la nación. Por eso de que la imagen es lo que cuenta. Sobre todo para que venga Woody Allen a hacernos películas, amén de que ciertos empresarios trotskistas-marxistas, afines a la causa, se hagan multimillonarios.

Este detalle no puede pasar por alto para quien se aventure a denunciar el engendro intervencionista, sectario y manirroto que han generado tres décadas de nacionalismo opresivo y fanático. Desde el Pujolismo y sus desfalcos, pasando por el funesto tripartito, sus editoriales conjuntos y sus fantasmagóricas embajadas, hasta el arturismo, que ya empieza a mostrar de lo que es capaz, comisarios lingüísticos y subvenciones a medios de la cuerda mediante.

Muchos no hemos olvidado aquella entrevista en la televisión pública catalana –supuestamente la de todos- en la que Montserrat Caballé explicaba como el entonces gobierno del Molt Honorable Jordi Pujol, padre del nacionalismo postmoderno, vetó un proyecto de escuela musical de prestigio que la soprano catalana - y universal por excelencia- quería llevar a cabo en Cataluña. Uno en su inocencia cromática podría pensar que la negativa podría haber sido de índole económica, pese a lo cual tampoco hubiera sido comprensible debido a la carencia absoluta de escuelas musicales para impedir la fuga de nuestros talentos. Pero no. La razón que esgrimió el gobierno nacionalista desde la típica mirada cerrada y acomplejada, es que los profesionales elegidos por Caballé o no eran catalanes o no eran afines al creo nacionalista. Por ende, era más importante el signo identitario que la aptitud. Obviamente la soprano ante el consejo de elegir a otros profesionales, rechazó llevar a cabo el proyecto. ¡Qué desagradecida! -diría el padre convergente. Años más tarde, tampoco le perdonarían que osara firmar un manifiesto por la lengua común. Aquello ya era el súmmum de la insolencia. Por desgracia, no es el único ejemplo antonomástico de la locura. Otro caso sonado fue la dimisión del magnífico actor y director Josep Maria Flotats como director del Teatre Nacional de Catalunya, hastiado de que le obligaran a programar la temporada con criterios patrióticos y políticos en lugar de la calidad del texto o los actores. Silencio informativo incluido. O la pitada monumental a Mayte Martín en los actos de la Diada y cuyo delito fue cantar en castellano. O Paco Mir, miembro de Tricicle, ahora en Madrid, harto de que el nacionalismo se negara a ver la realidad y apreciara más la lengua que el proyecto.

Casos como estos no son los únicos. Por desgracia, se producen diariamente en la vida de muchos ciudadanos. Y, a la sazón, nos revelan la verdadera faz de esta doctrina, enemiga de la libertad, el mayor paradigma de la patochada, la exaltación de los sentimentalismos más catetos, la mediocridad elevada a la máxima potencia y la asfixia de una sociedad ahogada por tanto bobo de la bobería. Sin embargo, esto parece importarle muy poco al respetable. Mientras haya gente que acepte como normal que un diputado de Solidaritat per la Independència (SI) en el Parlamento catalán, Alfons López Tena, exprese públicamente la voluntad de presentarse a las elecciones generales y de conseguir representación para reventar España desde dentro, defender los intereses de los catalanes y hacer daño a los intereses españoles, poco habrá que hacer. Mientras haya gente que les ría las gracias a personajes como Joan Tardà, que idolatra a personajes como Otegui, condenado a diez años por pertenecer a banda armada, al mismo tiempo que silencia a las víctimas del terrorismo -porque claro, son españolas- será una batalla perdida. Y será una batalla perdida no solo porque este nacionalismo se ha encargado de forjar el pensamiento único orwelliano, creando los mensajes de que España oprime a Cataluña, que nos esquilma económicamente, que odian nuestra lengua y nuestra cultura. Mentiras que se convierten en una verdad. Puro Goebbels. Sino que, además, ha sido tan inteligente que se ha mostrado como la víctima en lugar del tirano. Y esta es quizás su actitud más sutil. Porque si se hubiera comportado como una verdadera tiranía, como ha sucedido en tantos regímenes comunistas y fascistas, hubiera generado anticuerpos y rebelión entre los ciudadanos. Sin embargo, se ha mostrado como el oprimido, como la víctima perfecta. Y así con el pueblo idiotizado, indiferente ante el hecho de que el *establishment* lleve a sus hijos a buenos colegios privados con el castellano como lengua vehicular e imponiendo la inmersión al resto, todo resulta más fácil. Ya sabemos de la necesidad del pueblo de tener siempre un becerro al que adorar. Esta es, en definitiva, la realidad del cáncer nacionalista que padecemos muchos de los que vivimos en Cataluña. No es un fin. Es una ideología dañina a la que Albert Einstein se refería como una enfermedad infantil. Me temo que el científico judío se quedó muy corto.

Arturo Manos tijeras

Hay que ver lo rápido que se le ha caído la máscara al otrora Rey Arturo. Bien es sabido que los paladines de la causa nacionalista tienden a creerse mitos vivientes, por lo que si además alguien los equipara con el legendario rey Arturo, es seguro que acabarán creyéndose que pueden ser el rey Arturo, que tal vez tuviera sangre catalana y que, a la sazón, Cataluña es Camelot. Y, por ende, que Camelot es suya. Y que todos tienen que pensar como el rey piensa, que para eso es el rey. Y pobre de aquél que viva en la disidencia ideológica y crea que se trata de un reino ficticio. La de improperios que recibirá aquél que ose decir que se trata de un reino que se han dedicado a construir a base de olvidarse de los ciudadanos, con una buena dosis de propaganda y demagogia. Sin embargo, como en cualquier reino, siempre hay muchos súbditos y lacayos rindiendo pleitesía al monarca so pena de recibir sustanciosas prebendas si cumplen con la lengua del imperio y la misión evangelizadora cuya misión ha sido encomendada. Por tanto, lo habitual es seguir la corriente y hacer editoriales conjuntos con el fin de ser ungidos con el sello de amor a la patria.

Pero ahora, como una mala plaga bíblica, el Rey Arturo se trasviste en una mala réplica de Johnny Depp y pretende convertirse en Arturo Manos tijeras. Así que, llevado por la euforia fervorosa deja de un lado el Medievo para convertirse en una suerte de Pinocho, desertar del proyecto de Frankestein, soñando ser *aixeneta*, y convertirse en la nueva criatura Burton. Qué lejos ha quedado ese largo peregrinar en el que muchos creían que Arturo iba a encontrar la copa del Santo Grial, esa que, según decían, regenera cuerpos y almas.

Ahora su Camelot –léase la Cataluña virtual- se está viniendo abajo. Y que mejor manera de evitar que no se resquebraje que utilizar sus tijeras y amenazar con no pagar a las residencias concertadas de ancianos y discapacitados. Qué gesto de sensibilidad del Molt Honorable Rey Arturo. Y es que quizás piensa que al mismo tiempo que muchos ancianos se quedarían sin una residencia y abandonados a su suerte, resulta de vital importancia para la suerte de su reino subvencionar a la selección catalana de dardos con 1,2 millones de euros. O lo que es lo mismo, doscientos millones de las antiguas pesetas. Fantástico. Cada vez hay más miseria en Cataluña, pero haremos de la diana un deporte olímpico y con Cataluña de abanderada. Pero no solo eso. No hay dinero para que las farmacias cobren sus honorarios, pero sí hay dinero para doblar veinticinco películas en catalán gracias a un acuerdo con los Majors norteamericanos. El mensaje está claro, el Rey Arturo no tiene inconveniente en cerrar quirófanos mientras destina más de un millón de euros a paliar esa manía que tienen los catalanes de ir a ver cine en castellano. Eso no se puede consentir, que para eso son los reyes del credo del pensamiento único nacionalista. No podemos controlar el ocio de los ciudadanos, pero les diremos que vayan a ver cine en catalán, cine que ya habremos pagado de antemano con nuestros impuestos, huelga decir.

Sinceramente, no me sorprende nada. Un reino que se cree sus propias mentiras y piensa que enviando mensajes a sus súbditos de que el reino vecino les esquilma, que no les quiere y que hay que ir a las cruzadas –pacíficas está claro, que nosotros solo criticamos a esa gente tan ufana y tan soberbia– piensa que todo le va a salir gratis. Que lo importante es construir la nación, lo demás no importa. A ese reino poco le importa que se cierren plantas enteras de hospitales, que los médicos vean sensiblemente reducidos sus salarios o que haya personas con más de un año de lista de espera. Todo eso son inmundicias. Lo que es trascendental para la vida de los catalanes es que el gobierno del Molt Honorable Rey Arturo destine treinta y cinco millones de euros a asuntos exteriores, que se inviertan veintidós de estos millones para acciones de cooperación al desarrollo, mientras en Cataluña se resquiebra el sistema. Lo más importante, por consiguiente, son las mamandurrias patrióticas y la imagen exterior. Y para ello es imprescindible mantener las seis embajadas y treinta y cinco oficinas comerciales en el exterior que nos cuestan a los catalanes trece millones de euros. Si es que algunos, que somos simples botiflers, no nos queremos enterar.

La explicación no guarda lugar a la duda. No hay dinero para medicamentos y si uno se tiene que operar mejor que tenga paciencia y ponga Teledeporte (perdón, *Esport 3*, uno de los seis canales del Reino, costosísimos y ruinosos). Tal vez con un poco de suerte le deleitarán con un partido de la selección catalana de dardos. Pobres infelices que somos, que estamos todo el día quejándonos. Si este gobierno está marcando sin dobleces cuáles son sus prioridades. No hay dinero para la dignidad de los abuelos pero sí para que se hable catalán en Nueva Gales del Sur o en la provincia del Yucatán. Es algo vital para aquellos países y para nuestra supervivencia.

Supongo que tendremos que mirar la parte positiva y no utilizar la retórica del victimismo, que hay que ver cómo nos gusta a los catalanes ser victimistas y vislumbrar el horizonte del próximo verano. Porque cuando llegue el buen tiempo, llevaremos a los abuelos y a las personas que sufren algún tipo de discapacidad con el suero a la calle, que eso de que estén en una residencia es un gasto costosísimo y no hace país. Y pensar que algunos querríamos proponer montar hospitales de campaña en las embajadas. Hay que ver lo que se nos ocurre a algunos. Así que, ya en la calle, y como solución, con un poco de suerte podrán ver alguna película en el cine de verano –en catalán por supuesto- Y será entonces cuando se les dé algún tipo de salida a estas cintas. En el ínterin, el Reino seguirá construyéndose y la salud de los ciudadanos empezará a depender de un hilo.

Pero claro, qué malos catalanes somos aquellos que criticamos el despilfarro que suponen medidas liberticidas en materia de política lingüística y de las fantasmagóricas embajadas que solo sirven para satisfacer los delirios identitarios del nacionalismo como medio de colocación de la patulea afín y demás pesebre. Pero no se confunda, Molt Honorable Rey Arturo. Ni usted se parece en nada a Johnny Depp, ni su guión lo firma Tim Burton. Porque Burton sería incapaz de escribir un guión en el cual se jugara a la xenofobia más repugnante afirmando que a los sevillanos no se les entiende cuando hablan en español. Eso lo dejan para ustedes, las criaturas del pujolismo. Su exégesis, en cambio, se resume en un ficticio reino en el que es mucho más importante construir su reinado – con lo republicanos que son ustedes - mientras expulsan a los más débiles, los dependientes y los ancianos. Por desgracia, este es el triste epitafio de una Cataluña que demuestra la miseria moral a la que han llegado sus dirigentes. Eso sí, con demasiados cómplices.

El señorito del Palace

Bien es sabido, como decía magistralmente George Orwell, que ningún nacionalista piensa, habla o escribe sobre otra cosa que en lo relativo a la supuesta superioridad de su patria. Por tanto, resulta difícil, sino imposible, para cualquier nacionalista esconder su lealtad sin tropezar con esa mirada ciega y montaraz que le caracteriza. Así que solo cabe esperar de ellos su declaración de preponderancia no solo en términos políticos, lo cual es cuestionable, sino también en el arte, la literatura o, incluso, de la belleza física de sus habitantes. Asunto ciertamente repugnante.

Así que abstraídos en su belleza sin igual, helos ahí, este ademán de señoritos de buena familia, secuaces por omisión del asalto con corbata al *Palau*, adalides de financiaciones ilegales y responsables de desfalcos y quiebras en extinguidas bancas catalanas. Son los oligarcas que se mofan del acento de los andaluces y señalan que no se les entiende. Por el contrario, a los oligarcas del señoritismo, muy a su pesar, se les entiende todo. Porque son los mismos que se atreven a calificar de chonis a aquellos que no pertenecen a su tribu privilegiada y déspota. Son los mismos que se pasean por los graneros de votos del extrarradio barcelonés bailando sevillanas si fuera preciso, jugando al folclore, con objeto de ganar diez votos y medio. Pero ya es sabido que cuando se juguetea con el folclore se acaba folclórica. Por eso no es de extrañar que Duran i Lleida, enarbolando su bata de cola alcampelina –con los colores de la *senyera*, huelga decir-, se haya despachado a gusto afirmando que los andaluces se gastan el PER en el bar del pueblo. A semejante grosería que merecería la más vil de las condenas, respondieron con aplausos y algarabía los acólitos displicentes del mitin de turno, esa horda irreal y absurda, paradigma de la pleitesía acrítica. Pero no me extraña. Resulta curioso cómo los nacionalistas se escudan en razones ancestrales para menospreciar todo lo que orilla más allá de su frontera.

Sin embargo, hay que ver qué chulería y clasismo el del señorito que lleva casi treinta años viviendo de la sopa boba del erario público, gracias a lo cual puede presumir de vivir en el

Hotel Palace de Madrid. No en vano, este aprendiz de oligarca no sabría vivir sin una suite de lujo, sin la costumbre de vestir trajes y corbatas de las mejores firmas, sin los sinsabores de la *haute cuisine* y sin las bondades de tener un sequito tras sus espaldas. ¡Pero qué lujosos nos han salido algunos democristianos! Ya sabemos del apego por la suntuosidad de la oligarquía del *establishment*. No obstante, qué poco le importan a este señor los subsidiados del PER andaluz. Ni mucho menos los seis millones de parados -sin el tradicional maquillaje gubernamental-. Lo único que le importa al sempiterno ministrable, cuya soberbia solo es comparable a su sectarismo ideológico, es mantener el estatus de monarca sin trono. Pero haría bien el nacionalista de Huesca en mirar allende los cristales de su hotel para darse cuenta de la miseria en la que viven muchos españoles y de la hipocresía que destilan sus palabras.

Y es que dice la criatura del Pujolismo, niño mimado del *Molt Honorable*, que está en contra de la subvención. No podría estar más de acuerdo con él. De hecho, habría que acabar con todas las subvenciones y enterrar esta cultura tan dañina para el alma de una sociedad libre. Y por ejemplo, empezaría criticando los 5.000 millones de euros que el Gobierno dio el año pasado al sector del automóvil, al más estilo Keynes. El problema es que Cataluña se benefició más que ninguna otra región española y claro eso no interesa que se divulgue. Luego, resulta de vital importancia ayudar al ínclito Duran a hacer memoria. Tal vez habría que dejar de subvencionar sine die a la televisión pública catalana, que nos cuesta a los catalanes casi 2.000 millones de euros al año. O dejar de derrochar la módica cifra de 1,4 millones de euros para el doblaje de 25 películas al catalán. Todo para que solo una ínfima parte de la tribu del dogma patriótico esté contenta y construir simbólicamente esa nación artificiosa cuyos caprichos nos están llevando a la ruina. O no subvencionar a Òmnium Cultural, que tan solo ha recibido 7,6 millones de euros entre los años 2004 y 2008. Todo es poco, por lo visto, para contribuir a la causa del menosprecio al estado opresor y a fer país. O acaso le sugeriría al ilustre Duran que no se subvencione a los medios en catalán, y que este año nos costará la friolera de 6,8 millones de euros. Brillante medida para convertir a los medios en entes concertados y de servicio a la causa. O acabar con las subvenciones a asociaciones pro *Països Catalans*. O los 10,5 millones de euros en subvenciones a Spanair. O el dinero de auxilio a las selecciones deportivas catalanas. O cerrar esos organismos inservibles como el CAC –un auténtico órgano liberticida. Pero me temo que el señorito del Palace no está por la labor. Porque, parafraseando a José Saramago, los nacionalistas no se quedan ciegos. Ya están ciegos, ciegos que ven o ciegos que, viendo no ven. Qué ironía. Saramago no lo sabía, pero al escribir esta frase para su *Ensayo sobre la Ceguera* estaba pensando en el nacionalismo catalán. Y no se equivocó.

La ruina política, institucional y económica

Los marcianos del hemiciclo

Hace pocos días me comentaba oportunamente un amigo que este país se estaba convirtiendo en una secuela de *Lost*, la serie de culto estadounidense. Se refería a sus idas hacia adelante y hacia atrás, a sus vidas paralelas y al ir y venir de personajes presuntamente vivos o muertos. ¡Qué razón tenía!

Espero no fastidiarles el desenlace a aquellos que aún no lo hayan visto, pero después de años de espera, nos hemos enterado que todos los personajes de la serie están en realidad muertos y que posiblemente toda la trama se haya desarrollado en la mente de uno de los protagonistas mientras agonizaba tras estrellarse el vuelo 815 de Oceanic. Final confuso y decepcionante que nos aproxima a realidades más cercanas.

Y es que los losties están de suerte. Porque, ¿encuentran alguna diferencia entre la ficción *dharmatica* y la política española? Yo no. Basta con abrir esta semana un periódico, escuchar una tertulia o ver la televisión para comprobar que hay realidades que emulan y, superan incluso, a la propia ficción norteamericana. Es el caso de nuestro oneroso hemiciclo, a veces más parecido a un anfiteatro donde las hienas se devoran entre ellas que a una verdadera cámara donde la palabra, las ideas y los hechos predominen. Por eso, propongo que en un alarde de imaginación ante la crisis contratemos a los guionistas de *Lost* para que nos saquen del atolladero en el que la sociedad española está metida, gracias a un sistema financiero manirroto y a un descontrol político. No duden que el *share* y la afluencia masiva a las urnas estarían asegurados.

Veamos, si no, el espectáculo lamentable que se vivió esta semana en el Senado consentido por su presidente, Javier Rojo. Tras la intervención del presidente del Gobierno en la que sacó pecho de su política social, toda la bancada socialista se puso en pie y dedicó una larguísima y atronadora ovación a Zapatero, como intentando disipar cualquier duda sobre el apoyo del PSOE al Gobierno. ¿Realmente era una realidad o se trataba de un flashback isleño hacia épocas mejores en que nadie cuestionaba el liderazgo de Zapatero?

Suerte que estaban los hostiles, aquellos sembradores de la otrora llamada crispación comandados por su Benjamin Linus particular, Pío García Escudero, que reclamaron a gritos la dimisión de Zapatero. Por primera vez, el PP pedía en sesión plenaria elecciones anticipadas al presidente del Gobierno. Desde la sombra, ahí estaba ese Mariano Rajoy como alter ego de Jack Shepard, que al igual que el médico de la serie tras el accidente del avión, trata de comandar a la derecha tras el naufragio de 2004 en la isla inhóspita de la oposición. Difícil lo tiene, pues si no tiene bastante con sus numerosas incongruencias, se le suma su apoyo a Camps con el fin de sortear escándalos como el caso Gürtel. Nada, *peccata minuta*.

¿Y qué me dicen de Elena Salgado? Dispuesta, como la bella Kate Austen cuando aterrizó en la isla, a vivir azarosamente y a sacar las castañas del fuego a su líder, que es quien dicta, al fin y al cabo, la política económica del Gobierno.

Pero faltaba la bufona de la isla, la incombustible Celia Villalobos, que no contenta con tener chofer oficial, a costa del bolsillo del contribuyente, se atreve a humillarlo a voz en grito, cuán emperatriz mayor del reino. Sin duda, una falta de educación pasmosa o una víctima precoz de la LOGSE. O tal vez las dos cosas.

Así pues, resulta difícil imaginar que en una época en la que la economía, la confianza, la austeridad y la solidaridad están tan amenazadas, se pueda llegar a estos niveles de improvisación y falta de rigor, en lo que pertoca al gobierno, y de chulería y ausencia del sentido del ridículo y la responsabilidad, que caracteriza a la oposición. ¿Cuál es el resultado? Que tenemos la peor casta política de la historia. El peor gobierno y la peor oposición.

Pero no sufran. Ante la crisis, buena cara. Mejor tómenselo a guasa y piensen que nuestro hemiciclo se ha convertido en un gran plató hollywoodiense, en la que todos juegan a ser John Locke o Jack Shepard, eso sí subvencionado con nuestros bolsillos. O mejor aún, piensen que lo que está pasando es algo así como lo que narraba Orson Welles en la CBS, allá por 1938, recreando la llegada de los marcianos a Grover's Mill y la destrucción de ciudades, incineradas con rayos mortíferos, en su camino hacia la Gran Manzana. La gran diferencia es que los marcianos actuales, no están tan lejos como puedan pensar.

Desgraciadamente, campean a sus anchas por el Congreso de los Diputados, convirtiéndose en una máquina peligrosa de generar una desafección ciudadana irreparable. Triste pero real.

¡Que viva el IVA!

La vida misma, decía Nietzsche, es voluntad de poder. Esa frase del genial pensador alemán siempre me ha recordado la mutación que sufren nuestros dirigentes cuando llegan al poder. Le pasó a Aznar que pasará a la historia por ser uno del trío de las Azores, pero también tengo la impresión que le está pasando a José Luis Rodríguez Zapatero. ¿Quién no recuerda a Zapatero ante las multitudes de Ferraz cuando ganó las elecciones diciendo esa frase de *"el poder no me va a cambiar"*? Aquí en España a esa metamorfosis se le ha llamado el síndrome de la Moncloa. Es como si en ese palacio habitara un germen mordaz que produjese en los residentes una megalomanía creciente; todos llegan humildes y acaban altivos, aislados y enrocados en su poltrona de oro. Y como persona progresista esto me decepciona. El último que corrobora esta afirmación ha sido el ex ministro Jordi Sevilla, aquel que enseñó al presidente economía en dos tardes. Y es que el último capítulo en esta política distante y poco socialista es la cacareada subida del IVA que pretende paliar el leitmotiv económico en el que se ha sumergido España. Aquel Zapatero sonriente, todavía en una permanente luna de miel con la sociedad española bajo el disfraz de ZP, se jactaba de decir que subir impuestos era de derechas y bajarlos de izquierdas. Rescaten los archivos sonoros.

Pero ahora que la bonanza se esfumó y los ingresos retroceden de un modo dramático, lo que conlleva que los gastos aumenten, las hemerotecas juegan una mala pasada a cualquier dirigente político, ZP incluido. Así que ahora el gobierno deja caer sobre el ciudadano y el sector privado el peso para salir de la crisis y donde dije digo, digo Diego. Ahora todo parece indicar que subir impuestos es de izquierdas. El Gobierno considera que es la panacea, porque incrementará las arcas del Estado. De hecho, según los cálculos del Gobierno, se podrían recaudar unos 5.150 millones de euros en 2011. Este año solo 1.900 millones. Peccata minuta. Muy poco dinero si se considera que solo el Estado (sin contar comunidades autónomas ni ayuntamientos) tiene un déficit de casi 100.000 millones.

Pero es que Zapatero asegura, además, que la recaudación derivada de la subida del IVA entre julio y diciembre de este año permitirá pagar las prestaciones por desempleo de hasta 500.000 personas. Bravo, impuestos con alma caritativa. Cuando uno escucha estas palabras a uno le viene a la memoria una pomposa y genial Concha Velasco cantar, allá por 1986, el hit ¡Que viva el IVA! Si no fuera porque esta medida va a afectar a millones de personas que van a percibir como baja su poder adquisitivo, uno se lo tomaría a risa por no nausear.

Porque, manual de economía en mano, todo lo que suponga incrementar el precio de un producto no es bueno para quien lo produce ni para quien lo consume, porque si hay más impuestos hay menos disponibilidad económica, y por tanto menos consumo, menos producción y más desempleo. Los últimos estudios aseguran que conllevará quinientos parados más al día. Y eso demuestra que Zapatero sigue dando tumbos en su política económica. Porque para salir de la crisis es necesario reformas económicas, más flexibilidad y libertad en el sector económico, menos impuestos, menos gastos, más estabilidad presupuestaria y menos intervención del Estado.

Desgraciadamente, soy de los que piensan que la segunda parte de la crisis se iniciará el próximo mes de julio con la entrada en vigor de esta medida. Espero equivocarme. Pero tal y como van las cosas, espero que a Zapatero no le dé por hacer un remake del videoclip de la Velasco para hacernos entender que la subida de dos puntos que va a destrozar nuestros bolsillos, son una obra de caridad para pagar las prestaciones por desempleo. Pero me temo que tal y como anda el patio, uno se puede esperar cualquier cosa.

La peor oposición de la historia

Me había propuesto cambiar un poco el enfoque de mis columnas. Y no porque hubiera decidido ser más benévolo con el gobierno de turno y la languidecerte oposición, o no hacer uso de las lanzas dialécticas y mordaces contra todo aquello que considero injusto y que es digno, a mi juicio, de centrar en el debate de las ideas de la opinión pública. Mi argumento se resumía en un intento de ser más positivo y no caer en el espiral de críticas feroces en las que servidor estaba cayendo. Pero está claro que la actualidad no da tregua y la positividad que me caracteriza se nubla ante el negro panorama de nuestro país. Hace poco un amigo periodista me decía que debíamos cambiar el enfoque de nuestra mirada hacia la realidad de la sociedad española, sobre todo de la crisis económica. Pero como soy de los que piensan que el buen rollito no crea puestos de trabajo, ni saca a flote la economía, ni como no soy de los que no quieren mirar hacia otro lado, prefiero que mi mirada sea objetiva y no condicionada por la ideología. Las soluciones no van a venir por la repetición de mantras –para los crédulos seguramente ayudará-. No nos engañemos. La realidad con ideología está absolutamente prostituida. Y ahí esa realidad choca con nuestras fuerzas políticas, un lastre más que un adalid.

Está claro que uno podría argumentar a estas alturas de la película que la oposición en España es proporcionalmente (y simétricamente) similar al gobierno: un guirigay en el que abunda la mediocridad. Y mientras el gobierno empeora sin remisión, la oposición no le va a la zaga. Y ahí estamos todos. Inmersos en el peor drama de España, en que para desgracia nuestra, han coincidido en esta etapa histórica el peor gobierno, la peor oposición y la sociedad más amoldada de la historia de la otrora Sefarad.

Como consecuencia se ha implantado en la sociedad española un intenso malestar de fondo contra el gobierno, por su desastrosa y antisocial política económica, pero también contra una oposición cuya mediocridad es comparable a su ineptitud para contribuir a sacarnos del atolladero económico en que nos hemos sumergido. Y así, mientras unos y otros se echan las culpas y sacan pecho ante lo bien y lo responsable que están actuando, su fracaso y su lejanía de la realidad les convierten en el tercer gran problema de España. La solución, nos guste o no, solo está en manos de los ciudadanos y de nuestro arrojo a sacar adelante nuestro país, con nuestro esfuerzo, talento, afán de emprender y nuestra visión crítica. Máxime cuando los políticos que dicen representarnos son un verdadero fracaso y un lastre para nuestro futuro.

Tanto socialistas como populares son conscientes de esta trágica realidad. Unos pueden ocultarlo y autoengañarse para no sentirse culpables de la deriva a la que están llevando al barco y los otros esperan con ansias que lleguen las elecciones para regresar a la Moncloa. Cada vez hay más voces entre los primeros que confían en que Zapatero no repita y de hecho ya llevan tiempo buscando un candidato alternativo para 2012; los segundos creen que si no hacen ni dicen nada, el poder les caerá en las manos como si de una fruta madura se tratara.

Sánchez-Camacho, la oportunista

Se veía venir. Las deportaciones de inmigrantes rumanos, llevadas a cabo por el gobierno Sarkozy, han provocado en la Unión Europea una herida que será difícil que cicatrice. Sin embargo, la polémica suscitada no nos debería de ser ajena, por cuanto se trata de un asunto muy propicio para la demagogia. Y como ejemplo las declaraciones de la comisaria europea de Justicia, Viviane Reding, comparando estas expulsiones con las que llevaban a cabo los nazis en el III Reich, un exceso impropio de un cargo de tal envergadura. Sin embargo, la demagogia es de los pocos elementos que son transversales a izquierda y derecha del espectro ideológico.

Es cierto, probablemente, que Nicolas Sarkozy haya actuado de una forma prepotente y al margen de cualquier consenso político. Sin duda. Pero las leyes francesas, con arreglo a la normativa europea para la integración progresiva de los últimos países incorporados a la Unión Europea, establecen que los rumanos pueden permanecer libremente en Francia durante tres meses. Cumplido este plazo, tienen que demostrar que están dentro del mercado laboral, que están estudiando o bien que cuentan con un poder económico suficiente para subsistir. ¿Pero qué pasa si estos tres supuestos no se cumplen? ¿No está capacitado el gobierno galo para deportarlos a sus países de origen, con arreglo a las leyes francesas? Sin duda, pero en mi opinión esto requiere de un esfuerzo comunitario, de dejar al lado el buenismo característico y de un debate pausado en el seno de la Unión Europea.

Pero mientras tanto, el Partido Popular, ansioso de levantar la cabeza y llenar las páginas del papel cuché, busca desesperadamente la foto oportuna y se aposenta en Badalona con una cruzada caótica y arrabalera, buscando gitanos desesperadamente. No me extraña, al PP catalán, no se le conoce otro discurso que este, un hostigador del simplismo más ruin sobre un tema tan complejo y que merece un poco más de seriedad. Pero está claro que no para el Partido Popular.

Allí estaba la lideresa catalana, en una ruta de casi una hora por diversos barrios conflictivos de Badalona, recibiendo a ciudadanos badaloneses hartos de los robos cometidos por los romaníes, como una Evita Perón de la argucia. Otro vecino exaltado le mostraba papeles denunciando que se censaron en su piso decenas de rumanos sin él saberlo. Otra mujer, carrito en mano, gritaba a los cuatro vientos que son de otro planeta y que es imposible vivir así. Conseguido el objetivo, Alicia la oportunista sonríe. Va a subir como la espuma su popularidad.

Sabe que la mezcla explosiva de populismo y seguridad ciudadana tiene sus réditos en los barrios más castigados. Sin embargo, su ego populista es un fracaso para la convivencia ciudadana, para el sentido común y para el debate sereno sobre la inmigración. Pero, sobre todo, es un problema para el PP, rehén de su propia mediocridad extremista, que sale del armario cuando llaman a filas, cada vez que hay que ir a las urnas, para luego transformarse en un falso ente liberal.

Olvida la señora Sánchez-Camacho, que lo más importante es situar en el centro del debate no la identidad de un colectivo que decide crear un campamento ilegal, sino la ilegalidad del centro de convivencia, en la mayoría de los casos insalubre. Por supuesto que el PP, como partido democrático que es, está en su derecho de hacer una procesión por Badalona con una eurodiputada de la Unión por un Movimiento Popular (UMP). Es más, tiene el derecho de trasladar el debate a una zona de Catalunya donde las opiniones contrariadas son evidentes y donde un tercio de la población es inmigrante. Puede que no haya provocación, tengo mis dudas, pero lo que no me cabe la menor duda es que hay un oportunismo vergonzoso por parte de la líder del PP catalán.

De todas formas, este debate desenfocado del PP es digno de su materia prima y de la carroña que sale a flote cada vez que llegan unas elecciones. Que se pida juego limpio, que no se utilice electoralmente el cargo institucional o que no se lancen mutuamente puyas malévolas para rascar cuatro votos es algo que no se le escapa a nadie, porque en este periodo las reglas parecen estar para no cumplirlas. Sin embargo, meter el miedo en el cuerpo utilizando la inmigración es cuando menos peligroso. Y en este asunto el PP es un experto en la materia.

Rescate Alicia Croft

Hay que ver que furor tiene nuestra casta política en competir por el premio a la idiotez y a la vulgaridad. Pareciera que una parte de la inteligencia de la que presumen, no utilizase el cerebro sino el estómago para captar votos. Y cuando se pierde la razón, cuando no se sabe qué hacer y no se actúa desde la lógica para trasladar propuestas sensatas a los ciudadanos, se pone en manos de un publicista -o peor, de los cachorros del partido- los mimbres del cesto y se desata la caja de los truenos. Y eso es lo que está pasando en la campaña electoral catalana, cuyo ruido está alcanzando un octanaje casi prohibido. Primero vinieron las declaraciones de Joan Puigcercós (ERC) afirmando que Madrid es una fiesta fiscal y que en Andalucía no paga ni Dios. Más tarde un vídeo de las juventudes socialistas en el que una chica tiene un orgasmo al votar a Montilla, inspirado, tal vez, en aquel célebre discurso de Pedro Zerolo en el que alababa los orgasmos democráticos que le producía Zapatero y además, ya que el Pisuerga pasaba por Valladolid, los de su marido. Más tarde, Montserrat Nebrera, nos deleitó con un falso vídeo porno en el que se oye a una mujer gemir de placer y se ve a la ex diputada del PP envuelta en una toalla, quizás con la idea de imitar al célebremente conocido vídeo de la bruja Aramis Fuster en su piscina.

Sin embargo, el mérito a la falta de vida inteligente de la política catalana se lo lleva sin duda Alicia Sánchez-Camacho, aspirante del PP a la Presidencia de la Generalitat, con un videojuego al que han titulado *Rescate Alicia Croft*, que destaca tanto por lo espantoso de su diseño como, sobre todo, por su contenido. Sánchez-Camacho como la heroína del juego. Alicia, encarnada ahora en Alicia Croft –como una Angelina Jolie *démodé*- vuela por el cielo de Barcelona a lomos de su gaviota Pepe, lanzando ideas resolutivas en forma de bombillas para transformar y resolver los problemas de Catalunya. Hasta ahí estaría absolutamente de acuerdo, aunque con matices, por mi sempiterna duda ética si en tiempos de crisis uno puede ir derrochando el dinero público en zarandajas. Pero como el sentido común es el menos común de los sentidos, además de luchar contra el desempleo, el despilfarro, los impuestos y el independentismo, va masacrando desde su gaviota a inmigrantes ilegales que un helicóptero lanza en paracaídas. Fantástico. Si ya me resulta bochornoso ahondar de una forma tan necia con un tema especialmente sensible como es la inmigración, cabría preguntarse, asimismo, cómo ha podido llegar precisamente Alicia Sánchez-Camacho, obsesionada en forjarse una imagen moderna, de madre soltera y con tics socialdemócratas, a avalar un videojuego como este, como una pésima alumna de Jean-Marie Le Pen, líder del Frente Nacional francés.

Cierto es que su campaña si de algo presumía era de discreción. Pero ya apuntaba maneras. Hace unos días, en un acto preelectoral celebrado en Santa Coloma de Gramanet, una población que destaca por su alto número de inmigrantes, la candidata del PP a la Generalitat propuso que los extranjeros en paro regresen a su país, una idea acorde con el eterno contrato de integración que quiere implementar el Partido Popular, si gobierna. Pero hasta ahí estábamos en la contienda de las ideas.

Sin embargo, no hacía falta que la candidata popular se aprestase al ridículo y al bochorno cósmico de vestirse de Lara Croft para ir disparando a su paso contra todo lo que se mueve, desde los independentistas demoníacos a los inmigrantes ilegales. Todo este guiso para que el entusiasmo guerrero de Alicia Croft haya durado tan solo veinticuatro horas, las que ha necesitado el PP para retirar el vídeo antes de que la cosa se complicase. Pero no se crean. La retirada es temporal. El tiempo justo para que nuestra heroína sustituya a los inmigrantes ilegales por mafias, sin tener en cuenta que el problema no es estético sino ético. Y es ético porque en el debate de la inmigración no tiene más razón el que más grita, o el que a lomos de una gaviota virtual elimina a más inmigrantes invocando a los estómagos extenuados de tanto bobo de la bobería. Ni tampoco, en el otro extremo, el que llama al voto del miedo alarmando que vienen los xenófobos. Al final, entre unos y otros, a cual más irresponsable, los dos acuden a su Meca particular: la demagogia. Única alternativa a su mediocridad y a su carencia de principios.

Sin embargo, ¿para qué vamos a reflexionar con serenidad? Eso lo dejamos para otros. Lo mejor es que hagamos caso a Mariano Rajoy y a sus orgasmos democráticos cuando se obnubila con Teledeporte. No vamos a complicarnos la vida en trasladar debates sosegados a la sociedad y a reflexionar sobre asuntos peliagudos. Haremos como él y nos sentaremos en el sofá tranquilamente a enchufarnos la tele. Y diremos, como él, que uno se queda más feliz viendo Teledeporte que viendo según que servicios informativos. ¿Es esta la alternativa de gobierno de Mariano Rajoy? Tal vez el videojuego de Alicia Croft sea la versión virtual de uno de los deportes a los que tanto parece ensalzar Rajoy.

Es absolutamente increíble. Estamos con casi cinco millones de parados, sin maquillaje del gobierno; en un momento en el que no sabemos si, después de Irlanda y Portugal, España va a ser el próximo país en ser intervenido; en un momento en el que Marruecos, esa teocracia nauseabunda y repulsiva, tiene masacrado al Sahara, la otrora colonia española, con el silencio repugnante del gobierno y su continua inclinación ante el tirano de Rabat; en un momento en el que las estrellas de la campaña electoral catalana son Josep Anglada, la actriz porno María Lapiedra, Carmen de Mairena y los vídeos erótico-festivos. Y mientras tanto, a Mariano Rajoy solo le preocupa ver Teledeporte para ver la vida pasar, que diría Alaska. Ver para creer.

Pero no se me alteren. Está claro, lo mejor es no pensar, no reflexionar. Que no se nos ocurra informarnos para que no se nos despierte alguna neurona. Cuanto más idiotas seamos, mejor para la casta política que nos gobierna. De nuestra ignorancia depende el éxito de su permanencia en el poder. Pongamos Teledeporte y no pensemos en nada más. A disfrutar. Sin embargo, no lo duden, siguiendo este camino, nos depara un futuro rutilante.

ZP se fue a la guerra

Uno creía que a estas alturas de la película ya había visto todos los digos y diegos de Zapatero habidos y por haber. Hagamos memoria. Hemos visto a Zapatero congelando las pensiones, cuando otrora a voz en grito y ataviado de la pleitesía *sindicalera* puño en alto y pañuelo de *haute costure* en sus mítines de Rodiezmo, se jactaba de ser el presidente de lo social y el adalid de los pensionistas. Pese a tanta propaganda –

y en un giro sospechosamente copernicano - disminuyó el sueldo a los funcionarios, eliminó la ayuda a la natalidad, nos ha tomado el pelo con la ley de dependencia y un sinfín más de bandazos, dignos de las mejores películas de los hermanos Coen. Y resulta que cuando creíamos que ya no podría mutar más, después de ser caperucita roja en Manhattan, la tierna fábula de Bambi, el pacifista redomado y el líder de los parias, resulta que ahora se ha vuelto marxista. Y no porque haya querido como Karl poner en práctica la socialización, las expropiaciones y la construcción del hombre nuevo que reclamó Marx como pilar de la sociedad socialista, igualitaria, justa y feliz, sino porque se ha abrazado a las tesis de Groucho y se ha apuntado a eso de Estos son mis principios, si no les gusta tengo otros. Y ahora ZP se nos va a la guerra, pero en contraste con la canción sin dolor y sin pena.

Y es que en un intento por desmarcarse de la guerra de Irak y ocultar las contradicciones que evidencian su pacifismo alterable, se empeña en recalcar que las diferencias con la intervención española en Libia son enormes. Hay que ver cómo hace demagogia quien llegó al poder utilizando una posición antibélica pancarta en mano y ahora, experto en eufemismo, camufla como apoyo humanitario su ardor guerrero. Sería cuestión de recordarle que Libia es un país rico en petróleo con una dictadura de décadas, exactamente igual que Irak en su momento. Y huelga decir que Libia ha sido aliada de Occidente en general y de España en particular durante años. Solo hace falta ver las fotografías del Rey Juan Carlos con Muamar el Gadafi -a quién Su Majestad llamaba mi hermano- o las bellas imágenes con Ruiz-Gallardón entregándole las llaves de oro de Madrid, o las bonitas estampas de la Jaima en Moncloa en sus escarceos con Rodríguez Zapatero. O, en el colmo de la desfachatez, el que España exportase a Libia material de defensa y militar por valor de más de 6,9 millones de euros en el primer semestre de 2010. Es decir, las dictaduras genocidas de hoy –como la de Libia- habían sido muy poco antes de la intervención militar los invitados a la mesa en distintos foros internacionales, por ende también en España.

Sin embargo, tiene razón en algo. Las diferencias son, en efecto, enormes. No solo porque el apoyo de la Unión Europea a esta acción militar es inexistente, sino porque a Irak, España envió una fuerza de estabilización. Se trataba, pues, de una misión de postguerra. Por el contrario, Zapatero ha enviado a Libia cuatro aviones de combate, una fragata y un submarino. Estamos, lo disfracen como lo disfracen, en una misión de guerra en toda la regla, del mismo modo que, a pesar de los eufemismos, hemos participado en la guerra de Afganistán. *Zetapé* en estado puro, pues.

En honor a la verdad, no estoy diciendo que no haya que intervenir contra el tirano de Trípoli. De hecho, soy de los que piensan que la caída de un tirano siempre es buena si detrás no llega otro régimen más atroz -Jomeini en Irán es un claro ejemplo de ello-. Con todo, ¿alguien puede olvidar que Sadam Hussein practicó un genocidio gaseando a cuatro millones de kurdos? Por supuesto que no. Lo peor, no obstante, es el silencio cómplice de los cómicos, que, a diferencia de Irak, hacen mutis. Es decir, las mismas personas que clamaban No a la guerra ahora se aferran a la defensa de las víctimas de la represión de Gadafi ante la insurrección de parte del pueblo libio para prestar su apoyo a Zapatero. Entran arcadas, por tanto, ver cómo los acólitos del No a la Guerra han justificado el alineamiento militar de España desde antes de la resolución de la ONU y del comienzo de los bombardeos contra Gadafi como un mal menor. Sin embargo, quizás absorto en mi malicia patológica, no he reparado en que quizás la farándula antiamericana está preparando las pancartas, las pegatinas y piensan de nuevo patear la calle o llenar de consignas el

Festival de Cine de Málaga para sentirse de nuevo treinta años más jóvenes o, tal vez, ya que son los nuestros los que gobiernan, estarán pensando en ver qué hacen ante la mano que les llena los bolsillos de subvenciones. No hay duda, su doble rasero les delata.

El Principio de Peter

De entre los personajes más relevantes de las últimas décadas sin duda Laurence J. Peter se merece un lugar destacado en el escalafón intelectual norteamericano. Este pedagogo y divulgador canadiense, fue conocido, principalmente, por haber formulado el Principio de Peter - cuyo libro homónimo tuvo mucho éxito en los Estados Unidos durante la década de los setenta-. Para Peter, la sociedad estaba constituida para ascender socialmente. Por tanto, la gente se esforzaba en lograr un mayor estatus. Sin embargo, Peter observó que la incompetencia se hallaba en todos los niveles de todas las jerarquías lo que le llevó a determinar una hipótesis. Según Peter, los individuos, ascienden desde un nivel de competencia a otro de incompetencia. Es decir, que al final los puestos en las organizaciones tienden a ser ocupados por gente que es incompetente para desempeñar sus funciones. Así que aquellos individuos menos ilustrados obstaculizan el camino a los más perspicaces al percibirlos como competidores. Así, cuanto más necio u obtuso es un sujeto, más posibilidades tiene de ascender. Pero no se asusten. No voy a ser pernicioso. El paralelismo entre el famoso *Principio de Peter* con muchos miembros de la casta política española solo es fruto de la casualidad.

Es casualidad, por tanto, que el secretario de Inmigración de la Generalitat de Catalunya, Oriol Amorós, manifieste que entre Benedicto XVI y Abdelwahab Houzi, el imán de Lleida, le costaría elegir, y que los haya considerado la doble cara de una misma moneda. Por tanto, compara el señor Amorós al líder católico con uno de los representantes de la más poderosa de las corrientes fundamentalistas del islam: el salafismo wahabí. Un señor al que las Fuerzas de Seguridad del Estado le atribuyen el haber impulsado una especie de policía religiosa encargada de establecer lo que, según los salafistas, debe ser el proceder del buen musulmán. Pero es que, además, no cesa de proclamar que la integración en los usos y costumbres de la sociedad española impide vivir de acuerdo con los preceptos del islam. De modo, que suele propagar entre sus fieles mensajes de animadversión hacia España y que la religión musulmana está siendo atacada por la cultura occidental. Pero esto parece importarle poco al señor Amorós. Anclado en un discurso rancio, comparando al catolicismo –cuyo dogmatismo también es execrable en muchas ocasiones- con unos señores pertenecientes a una confesión religiosa cuyas mezquitas han dejado de ser oratorios religiosos para convertirse en trampolines para la yihad. Sin embargo, continúa en su puesto. Parece que todo vale con tal de parecer progre y ganar adictos a la cruzada anticlerical.

No solo eso. Uno tiene la sensación que a algunos insignes patriarcas de la progresía izquierdista cuando ven a un sacerdote católico les entra una urticaria corporal y gritan continuamente *Vade Retro*, mientras sufren orgasmos democráticos cuando se encaman con la alianza de civilizaciones y con el buenismo trasnochado, bajo el manto de la multiculturalidad. Está claro. Hay que dialogar con los imanes islamistas y salafistas. Con todo, como servidor no tiene reparo en confesar su inhabilidad congénita para la fe y como agnóstico no militante, me parece que juzgar a la iglesia por una pequeña parte es tan injusto como juzgar a toda la civilización terrestre por lo que acontezca en alguna parte del globo terráqueo. A la sazón, no deja de ser una visión tan miope y sectaria que define intelectualmente al personaje que hace tales declaraciones. Y si no, pensemos en cientos y cientos de personas que en nombre del Dios del Evangelio trabajan por todo el mundo luchando por un mundo mejor. Y no solo fuera de nuestras fronteras. Cerca de 800.000 personas sobrevivieron durante 2009 gracias a Caritas, la gran organización social vinculada a la Iglesia, que atendió a sus necesidades primarias de vivienda y alimentación. El doble que hace dos años.

Pero añadiré más. Es vergonzoso, por ejemplo, como la fiesta de reivindicación de libertad y dignidad de la comunidad homosexual, el orgullo gay, se haya convertido en un lugar para el insulto hacia las creencias religiosas de los demás. Curiosamente, nunca he visto chirigotas ni chacotas hacia Mahoma, ni contra el integrismo islámico, que éstos sí son un peligro innegable para los derechos e integridad física de los homosexuales y las mujeres. Irán es un claro ejemplo. ¿Será, por tanto, que la hipocresía y el mal gusto tienen demasiados adeptos?

Sin embargo, como la vergüenza va por barrios y se sumerge en todos los orificios del mismo espectro ideológico –dícese

Iniciativa per Catalunya Verds (ICV)-, resulta que el concejal de ICV en el Ayuntamiento de Barcelona, Ricard Gomà, emplea la revista que el Ayuntamiento utiliza para autobombo y que nos envía religiosamente a todos los barceloneses, para llamar a manifestarse contra el intolerante Benedicto XVI en su periplo por Barcelona. Por supuesto que tiene todo el derecho a opinar libremente de la venida del líder del Vaticano. Ergo, ¿por qué utiliza la revista institucional municipal pagada con los impuestos de todos los barceloneses –también, por ende, de muchos católicos-? Que utilicen sus propios panfletos partidistas. Sin embargo, al antiguo partido comunista no le importa utilizar los fondos y los medios públicos para glorificarse hasta la extenuación no solo moral sino económicamente. Pero no me extraña en absoluto. Al concejal de Izquierda Unida en el Ayuntamiento de Sevilla, Antonio Rodrigo Torrijos, le parece normal -como ha dicho- gastarse en Bruselas más de mil euros en una mariscada con el ex director general de Mercasevilla con dinero público y a cuenta del sufrido contribuyente.

Con todo, algunos dirán que soy un agorero y que pretendo hundir el país. Pero, por desgracia, si uno observa la realidad española el principio de Peter no es extremado. Basta con ver a

Oriol Amorós, Ricard Gomà y tantos otros políticos, líderes sindicales y de la Patronal para llegar a la conclusión que dicho principio es el único modelo que se aplica con un pavoroso primor en nuestro país. Ojalá me hubiera equivocado.

La mirada ciega

Últimamente tengo la sensación de que cierta prensa española está haciendo un uso desmedido, confuso y ladino de la demagogia al referirse a las tragedias de tintes políticos que asolan Estados Unidos. Es el caso del atentado perpetrado contra la congresista demócrata Gabrielle Giffords. Y no solo porque detrás de semejante actitud haya un antiamericanismo neurálgico en el que se repiten falacias hasta convertirlas en verdades. Sino, sobre todo, porque parece que se emocionan hasta el tuétano con el escarnio hacia quien no piensa cómo ellos. Pero, por si no fuera poco, se encuentra también un odio congénito. Es decir, un uso descocado de los sentimientos y una pluma más cercana al estómago que a la razón. ¿Cabría pensar, pues, que las opiniones y los argumentos se utilizan para tapar la miseria moral, sin importar las consecuencias? Tal vez sea este el motivo por el que disparar a Estados Unidos siempre sale gratis.

Algunos todavía no hemos olvidado la pobreza moral e intelectual de cierta izquierda que se puso de manifiesto en aquella portada de El País tras la masacre de las Torres Gemelas. ¿Hemos borrado de la memoria tan pronto que con miles de cuerpos calcinados y sin reconocer entre las escorias del World Trade Center, entre la confusión cósmica generalizada, el diario del Grupo Prisa abría su edición del 12 de septiembre de 2001 afirmando que el mundo estaba en vilo a la espera de las represalias de Bush? Uno podría pensar que el mundo estaría conmocionado ante la magnitud de la tragedia. Pensaríamos en la multitud de familias rotas y destrozadas, víctimas del fanatismo; en vidas truncadas y en proyectos sin concluir. En definitiva, muertes inocentes y apátridas, víctimas del fundamentalismo islámico. Pero para cierta prensa no era así. Al fin y al cabo, ¿las víctimas no eran norteamericanas y el gran culpable era George Bush? Así que la noticia era esperar la venganza del ex presidente norteamericano. Porque claro, resultaba cuando menos obsceno el que Estados Unidos acometiera con su obligación moral y política –como debería de ser en cualquier estado de derechode hostigar y castigar a los criminales que atentaron con vileza contra lo que América significa: libertad, valores morales, sociedad civil, propiedad privada y democracia con auténtica separación de poderes.

El espíritu de este capítulo trágico en la historia -del que se cumplirá este año su décimo aniversario- ha vuelto a verse reflejado en la palestra informativa. Y es que ese odio ha vuelto a resurgir. Ha sido suficiente con que un desequilibrado disparase a la congresista demócrata Gabrielle Giffords, y a la muchedumbre que estaba a su alrededor para que la izquierda se haya vuelto a enmarcar como paradigma de la bazofia y de la infamia.

No existía apenas información fidedigna de lo ocurrido y se levantó la delirante teoría de que el criminal, Jared Loughner, era un entusiasta seguidor del Tea Party y, muy en especial, de Sarah Palin, autora intelectual del atentado para la patulea progre. Por tanto, la masacre de Tucson es efecto colateral de la agitación del odio creado por Sarah Palin, el Tea Party o de cualquier otro estamento que no sea de su gusto. No en vano la izquierda siempre tiene la razón, que para eso es la izquierda inteligente. ¿Olvidamos que durante la campaña electoral de las últimas elecciones en Estados Unidos ya pudimos escuchar todo tipo de exabruptos y mentiras contra este movimiento? ¿Olvidamos que se les tildó de extrema derecha? ¿Olvidamos que se les acusó de racistas cuando entre sus integrantes conviven personas de todas las razas y culturas?

Con todo, no solo cierta prensa europea ha puesto el gatillo en manos de Palin. Incluso actores norteamericanos como Jane Fonda o Sean Peen han tildado a la ex gobernadora de Alaska como autora intelectual de la matanza, ante la ovación generalizada del respetable izquierdista. Ya sabemos que la desfachatez y la grosería únicamente lo son cuando los miembros de la cultura que se posicionan están en la derecha, si es que se atreven a ser políticamente incorrectos. A estos se les invita a la inanición, por voto popular. ¿No creen, en cambio, que a la cultura de izquierdas no solo se le disculpa todo, sino que se les aplaude a rabiar?

El escritor liberal Jean-François Revel escribió un fantástico libro titulado La obsesión antiamericana, que tuve la suerte de leer hace algún tiempo, en el que diseccionó con maestría los antecedentes del antiamericanismo, la posición europea ante los movimientos políticos de Estados Unidos y las incongruencias manifiestas de su Francia natal frente a la superpotencia norteamericana. Revel catalogaba esta obsesión enfermiza afirmando que la certeza de ser de izquierdas descansa en un criterio muy simple: ser, en todas las circunstancias, de oficio, pase lo que pase y se trate de lo que se trate, antiamericano. Yo no me atrevería a corroborar al pie de la letra tal afirmación, pero me parece cuando menos irritante el mantra popular de que la izquierda nunca crispa y si pasa algo no es culpa suya. Sin embargo, el leitmotiv de la crispación y la acusación a Sarah Palin como precursora del gatillo son los fantasmas eternos de una izquierda lunática que difícilmente cambiará. Porque ese odio es inherente a sus principios.

La PSOE

Pocos recuerdan aquellos oscuros tiempos del felipismo cuando Juan Guerra, alias Mienmano se paseaba sin escrúpulos por los aposentos de Alfonso Guerra, el mismo que dejó patente una de esas frases memorables del socialismo español en esa época vintage con aquello de que Montesquieu estaba enterrado y que todo valía para revolverse contra el estado de derecho. Pocos recuerdan ya que Guerra, en un claro ensalzamiento del cuidado de la familia, le colocó en la

Delegación del Gobierno de Sevilla. Muy pocos se acuerdan que en Andalucía había quienes encontraban trabajo en la PSOE, como si de una empresa se tratase, del mimo modo que otros conseguían un empleo en la Perkins, en la Nissan o en la SEAT. Estaba claro. En la Andalucía rural y en la urbanita, la más selecta y rápida oficina de empleo era la PSOE. Y como en el arte de la generosidad obrera nadie ofrecía duros a cuatro pesetas, solo se exigía el carné del partido a cambio de enchufar a la cuchipanda. Eran los tiempos de Time Export, Filesa, Malesa y Roldán. Eran los tiempos de los Barrionuevo Vera y los GAL, del caso KIO y Javier de la Rosa, de la expropiación de Rumasa, de las escuchas y espionajes ilegales en el Caso Godó y, por supuesto, del cohecho, de la prevaricación y del agujero de más de doscientos millones de las antiguas pesetas de la Expo de 1992.

Sin embargo, como esto no era suficiente para que se cumpliese la máxima de George Orwell de que todos somos iguales pero algunos son más iguales que otros, había que asegurarse -mediante la componenda de la subvención- la propiedad del cortijo y los votos. Y surgió el famoso Plan de Empleo Rural (PER) de la mano del Gobierno de Felipe González, con la excusa de que creciera el empleo agrícola. Sin embargo, a nadie le cabe la menor duda que tras casi un cuarto de siglo de peonadas manteniendo en la inacción a miles de proletarios que viven de la sopa boba, Andalucía sigue ostentando el honor de poseer la tasa más elevada de desempleo de toda Europa. Eso mientras algunos siguen hablando en Andalucía de las bondades del socialismo. Faltaría más. ¿Quién osa criticar a los patriarcas de la suntuosidad de los parias?

Con todo, faltaba un último esfuerzo más. Y Manuel Chaves, el virrey del reino, dejó la presidencia andaluza para regresar a Madrid y evitar males mayores. No sin antes agraciar con la modélica cifra de diez millones de euros a la empresa Minas de Aguas Teñidas (MATSA), cuya apoderada era su niña Paula. Hay que ver como se hace evidente el cuidado maternal de la PSOE por sus hijos, aunque sean manirrotos, huérfanos o adoptados. Por lo menos habrá que agradecerle que ya que no fomentan la riqueza siquiera que no descuiden los asuntos familiares, sobre todo si se atienden con la ubre pública. Para que luego digan que la familia se rompe. No hace falta ver como concilian a la familia en la PSOE.

Pero como el depósito de la basura y los parajes de la corrupción están despuntando a un ritmo insospechado, y esto no acaba más que empezar, resulta que el ex Consejero de empleo de Andalucía y actual presidente del Consejo Regulador del Marco de Jerez, figura en un Expediente de Regulación de Empleo (ERE) de una bodega jerezana en la que estuvo trabajando con antigüedad desde el día que nació. Dado que esto parece cuando menos difícil, por lo menos nos queda el consuelo de que se van a caer dos de los tópicos que más han castigado la moral y la fama de los andaluces. El primero, que trabajan poco. Lo cual es falso de toda falsedad. Y en segundo lugar que los trabajadores de la PSOE y acólitos no trabajan nunca. ¿Cómo vamos a pensar semejante disparate si éste apenas había empezado a hacer pucheros y ya estaba fijo en la empresa? Lo peor es que semejante despropósito, que si no fuera delictuoso causaría sarcasmo, es la punta del iceberg de una trama que hace unos meses el ex director general de Empleo de la Junta de Andalucía, Javier Guerrero, sacó a la luz, dando a conocer la existencia de un fondo de 647 millones de euros destinados a ayudar a empresas en dificultades mediante un fondo de reptiles. O séase, los fondos que el Instituto de Fomento de Andalucía (actualmente agencia IDEA) recibía de la Consejería de empleo para financiar los Expedientes de Regulación de Empleo (ERE). Unos ERE que tenían entre sus filas a personas que nunca habían trabajado en la empresa –como es el caso de Mercasevilla- o que habían ostentado cargos muy diferentes de los que figuraban en los documentos, sin que hasta el momento nadie se hubiera percatado de ello. ¿A alguien le puede extrañar, pues, que Mercasevilla haya sido la llave para que la Policía descubriese una trama para la utilización fraudulenta de expedientes de regulación de empleo sufragados por la Junta de Andalucía?

¿Alguien tiene alguna duda que es poco menos que probable que una trama de estas características pudiera crearse y ponerse en marcha sin que los presidentes de la Junta de Andalucía, Manuel Chaves y el actual José Antonio Griñán estuvieran al corriente?

Y por si tuviéramos poco, amén de que Andalucía otorga presuntamente a los sindicatos el triple de subvenciones que el resto de autonomías juntas, lo cual es un asunto legal pero amoral en los tiempos que corren, ahora resulta que el Tribunal Superior de Justicia de Andalucía ha ordenado a la Guardia Civil que investigue un presunto fraude masivo en la concesión de las ayudas de la Unión Europea (UE) al empleo en Andalucía, que han sido gestionadas por la Junta. Aunque aún se está en los preliminares de la investigación, se intuye que presuntamente estamos ante un escándalo todavía más hiriente e importante que los de Mercasevilla y los ERE. Esto es solo la presunta punta del iceberg de toda la presunta corruptela del presunto régimen Andaluz. Y perdonen, tanta presunción, cuyo fin es únicamente evitar una posible demanda. Al fin y a la postre, la corrupción del PSOE andaluz resulta ciertamente digna de una república bananera más que de un estado de derecho, como es España. Lo peor de todo es que muchos nos tememos que no será éste el último caso que aparecerá. No me quiero ni imaginar lo que saldrá si gana las elecciones el Partido Popular en Andalucía, como pronostican todas las encuestas y se hace una auditoría.

Trituración democrática

Lo que está aconteciendo en España estas últimas semanas tras el hundimiento del PSOE en las municipales y autonómicas del 22-M, tiene una marcada similitud, guardando las distancias, con la magnífica película del director alemán Oliver Hirschbiegel sobre el hundimiento de Hitler y el tercer Reich. La película narra los últimos días de Hitler y su retirada al sistema de búnkeres que se encontraban bajo la cancillería alemana. El enemigo se aproximaba. El ejército ruso, sin remisión, estaba estrechando el cerco sobre Berlín. La capital estaba en ruinas. Destruida. Por ende, la derrota de Alemania era inevitable. Solo unos cuantos soldados seguían luchando en las calles ayudados por las milicias populares Volkssturm, el ejército del Führer. El imperio se desvanecía y Hitler reunió a su personal de confianza para la despedida final. Condecoró a Magda Goebbels, esposa del ministro de propaganda de la Alemania nazi Joseph Goebbels, con una medalla como la mejor madre del tercer Reich. Agradeció a los presentes la deliciosa comida y se despidió de Traudl, una de sus secretarias personales. A continuación, Hitler y su esposa se retiraron a sus estancias privadas. Era el final. Y en aquel momento sus vasallos cumplieron la última voluntad de Hitler: calcinar los cadáveres en una zanja sobre el búnker y acometer una quema desbocada de papeles para no dejar huella.

Huelga decir que mi intención no es banalizar ni un ápice un hecho tan monstruoso como fue el holocausto nazi. De hecho, Hannah Arendt, en su libro Eichmann en Jerusalén, un estudio sobre la banalización del mal, expuso un nuevo concepto para explicar el genocidio judío por parte del régimen nazi. Arendt no culpaba, única y exclusivamente, a los autores directos del genocidio, sino que responsabilizó además a toda la sociedad alemana, sin duda la más culta y refinada de la época. Pero soy de la opinión que la situación de las consecuencias del descalabro socialista del 22-M tiene una cierta equivalencia con el hundimiento del régimen de Hitler. No porque semejante cataclismo se haya traducido en que los socialistas hayan perdido numerosos ayuntamientos y comunidades autónomas en los que llevaban décadas gobernando. Sino porque desde el mismo momento que se conocieron los resultados electorales comenzaron a producirse denuncias por toda España sobre la destrucción de documentos oficiales. Lo cual es un escándalo de proporciones mayúsculas.

Es evidente que no es un hecho coyuntural el que los tradicionales traspasos de poderes, que deberían ser modélicos en cualquier democracia que se precie, se sucedan con una multitud de historietas y una guerra psicológica por doquier. De hecho, la toma de posesión del alcalde popular Xavier García Albiol en Badalona, entre vítores y silbidos, forma parte de la genética de un país plural. Es decir, entra dentro de la normalidad democrática. Sin embargo, lo que hasta ahora no habíamos visto en este país con cierta diligencia democrática es la quema de documentos y la aparición de furgonetas oficiales con bolsas de basura repletas de documentos, al más estilo de los años oscuros malayos y del hundimiento hitleriano. Vergüenza cósmica produce que la Policía Judicial haya intervenido el Ayuntamiento de Valverde del Camino (Huelva), donde el PP ha conseguido la mayoría absoluta tras más de treinta años de gobiernos del PSOE, después de que un denunciante alertara a la Guardia Civil de que se estaban destruyendo documentos municipales arrojándolos a la basura. O que del Ayuntamiento de Jaén partieran de madrugada a toda velocidad furgonetas llenas de documentación, acaso para practicar una quema documental y pugnar con el humo del volcán Peyehue en Chile. O que en Estepa (Sevilla), al parecer, se hayan llevado ordenadores con información, tal vez para evitar que encontrasen algún documento oficial, disfrazado de virus informático, con contratos a amiguetes, chanchullos por doquier y facturas comprometidas. Y así un largo etcétera. Toda una competición institucionalizada del delito y del disparate para emular a los compañeros del Ayuntamiento de León, la patria chica del hombre de la ruina, cuyas prisas para limpiar despachos y destruir masivamente papeles haya traído como consecuencia que dos máquinas destructoras de documentos hayan resultado averiadas y llevadas a reparar por el excesivo trabajo al que han sido sometidas en los últimos días.

Con todo, el caso más paradigmático es el de la Junta de Castilla-La Mancha, bastión socialista por excelencia, conjuntamente con Extremadura –la siguiente que puede caer– y Andalucía. Y es que gracias a las prebendas, al silencio funesto, al derroche sin fronteras, como el ruinoso aeropuerto de Ciudad Real, no resulta extraño que haya traído como consecuencia el que se publiquen fotografías, como las que hemos visto estos últimos días, en las que se mostraban furgonetas sacando numerosas bolsas de basura llenas de documentos. Y todo para intentar disfrazar que el gobierno de Barreda debe, por poner un ejemplo, 70 millones al grupo Capio por asistencia sanitaria, otros 40 millones a la Asociación de Residencias de Mayores de Castilla-La Mancha o más de 4,5 millones comprometidos en programas sociales aprobados a Cáritas. Pero por si esto fuera poco, el gobierno manchego solo podrá pagar las nóminas del mes de junio a sus funcionarios si aplaza el pago a hospitales, farmacéuticas y residencia. Todo un síntoma y una paradoja de un país enfermo cuya única respuesta radica en mostrar trituradoras a todo ritmo, mutilando la memoria de la Administración y aniquilando el futuro. Triste epitafio de la nación que fue y que está en ruinas. Lo peor es que nunca una ruina fue tan cara.

¡Que viene el Tea Party!

Si hay algo que la historia ha puesto de manifiesto es que con el paso del tiempo las palabras van transmutando su significado original. A la sazón, sus usos van cambiando tanto que en ocasiones parecen estar alejados de aquello a lo que daban sentido cuando se erigieron. Es lo que ocurre en España con el famoso Tea Party. Su excepcional significado parece que ha sido manipulado por la opinión pública hasta convertirse en un ente casi demoníaco. Y ya sabemos lo que conlleva opinar sin una base de rigor: caer en informaciones simplistas, incorrectas o alarmistas.

El Tea Party debe su apelativo a un hecho acontecido el 16 de diciembre de 1773, cuando tres barcos originarios de Inglaterra y cargados de té llegaron hasta el puerto de Boston. El Gobierno británico había decidido intervenir el mercado del té y al mismo tiempo subir los impuestos. Por ende, molestos con la imposición de estas subidas abordaron el barco y arrojaron por la borda la carga de té que se encontraba en sus bodegas. A este episodio se le conoce como el Boston Tea Party. Se demostraba así, una vez más, que los norteamericanos no estaban dispuestos a acatar que les subieran los tributos.

Sin embargo, la gran mayoría de los medios de comunicación españoles, sobre todo aquellos encamados erótica y festivamente con Barack Obama, se han empeñado en resucitar los viejos fantasmas del franquismo y satanizar al Tea Party, preludio de la sociedad civil organizada americana. Una sociedad que si por algo se caracteriza es por su iniciativa privada y por su afán de beneficiarse de unos impuestos muy bajos. Sin embargo, entre un odio enfermizo y falacias varias, entre la batahola, entre mentiras encubiertas de informaciones periodísticas se han inventado un Tea Party quimérico. A eso se refería Katherine Graham, propietaria del imperio del Washington Post cuando afirmaba que la verdad y las noticias no son la misma cosa. ¡Cuánta razón tenía!

No voy a ser yo el que niegue que bajo el paraguas del liberalismo, este grupo tenga unos ideales muy conservadores en materia de derechos civiles de los homosexuales o la negación sin fisuras del aborto. Con todo, ¿podemos expulsar de la vida pública y política y demonizar al que no piense como nosotros? Por supuesto que yo no comparto muchos de los postulados del Tea Party. Sin embargo, eso no indica que quiera hacer un cordón sanitario contra este grupo de presión. De todas maneras, si quieren batallar contra la interrupción voluntaria del embarazo, no es solo por convencimiento moral o ético, que lo es, sino también porque conciben que decretar sobre el derecho a la vida humana es una imposición totalitaria. Al fin y a la postre creen que se trata de un derecho natural y no un derecho otorgado por el Estado. Ergo, si en un arquetipo ideológico se articulan los principios del Tea Party, es en el liberalismo.

Pese a ello, lo más escandaloso es que la mayoría de medios, amparados en el escándalo intelectual y moral, están ocultando lo que verdaderamente se encuentra tras los postulados que han escandalizado a ciertos espectros ideológicos, los principios que defiende este grupo y que son la esencia del movimiento y lo que muchos ciudadanos defendemos: que los políticos deben responder ante sus electores por sus acciones y que no tienen derecho a subir los tributos a su capricho (y menos que nos callemos) Al contrario de lo que pasa en España, sin in más lejos.

Más allá de semántica y de discusión ideológica, lo que cabe preguntarse, por tanto, es porqué se ha producido una victoria sin paliativos de los republicanos en las elecciones legislativas norteamericanas. Sin lugar a dudas, por el opresivo intervencionismo y el severo déficit público llevados a cabo por el gobierno Obama, un ataque sin paliativos a los ojos de muchos ciudadanos de las bases liberales sobre las que se asientan históricamente los principios de los Estados Unidos, favorables a un gobierno limitado, bajos impuestos y la más amplia libertad individual de los ciudadanos. Y no solo eso, una protesta multitudinaria contra el 9% de tasa de desempleo que seguramente le costará la Casa Blanca a la Administración Obama.

Con todo, ¿podemos trasladar ese clima social y esa realidad a nuestro país? Me temo que no. En Estados Unidos los candidatos tienen que ganarse con sudor y veracidad a los ciudadanos. ¡Qué diferencia, pues, con el escenario ibérico! Para un político español lo más importante no es congeniar con la base electoral, que debería ser su cometido, sino encamarse con el que le sitúa en la lista de forma digital. Básicamente por el secretario o presidente del partido de turno. Por tanto, aquí no tenemos un Tea Party, porque no interesa. Sería posible, sin duda, si el sistema electoral lo permitiese. Pero en España debemos padecer el síndrome de las listas cerradas y bloqueadas y una partitocracia inalterable.

Y si no, piensen en los políticos que tenemos y que se encaman con el poder de forma indefinida, porque en la empresa privada no tendrían futuro. Ahí están los casos de Alfonso Guerra (PSOE) con sus prodigiosos treinta y tres años en la política o Manuel Fraga (PP) incapaz de dejar el poder con sus ochenta y ocho años. Pero no solo eso. Tenemos el caso de un alcalde, Alberto Ruiz Gallardón (PP), cuya alcaldía es la más endeudada de toda España y que ha hipotecado el futuro de los madrileños para dos generaciones. Y sin embargo ahí sigue. Como si nada.

En definitiva, lo que cabe reflexionar no es el porqué del sarpullido ingénito que cierta prensa tiene con el Tea Party, sino el porqué de su animosidad hacia los Estados Unidos, que con todos sus errores y sus equivocaciones, es la primera y mayor democracia liberal y de libertad individual del planeta. Con todo, tengo la sensación que a buena parte de la izquierda y de la derecha lo que les saca de sus casillas es que la sociedad civil sea capaz de movilizarse en torno a principios que no son los suyos y contra el poder establecido. Es entonces cuando la partitocracia cree que es necesario corromper y disfrazar la realidad para que la sociedad no entienda que el Tea Party no es más que una demostración de poder de la sociedad civil americana. Solo con un único fin: controlar cualquier movimiento de la sociedad civil para garantizarse su supervivencia política y su poder *ad aeternum*.

La memoria ciega

Últimamente tengo la sensación de que cierta prensa española está haciendo un uso desmedido, confuso y ladino de la demagogia al referirse a las tragedias de tintes políticos que asolan Estados Unidos. Es el caso del atentado perpetrado contra la congresista demócrata Gabrielle Giffords. Y no solo porque detrás de semejante actitud haya un antiamericanismo neurálgico en el que se repiten falacias hasta convertirlas en verdades. Sino, sobre todo, porque parece que se emocionan hasta el tuétano con el escarnio hacia quien no piensa cómo ellos. Pero, por si no fuera poco, se encuentra también un odio congénito. Es decir, un uso descocado de los sentimientos y una pluma más cercana al estómago que a la razón. ¿Cabría pensar, pues, que las opiniones y los argumentos se utilizan para tapar la miseria moral, sin importar las consecuencias? Tal vez sea este el motivo por el que disparar a Estados Unidos siempre sale gratis.

Algunos todavía no hemos olvidado la pobreza moral e intelectual de cierta izquierda que se puso de manifiesto en aquella portada de *El País* tras la masacre de las Torres Gemelas. ¿Hemos borrado de la memoria tan pronto que con miles de cuerpos calcinados y sin reconocer entre las escorias del World Trade Center, entre la confusión cósmica generalizada, el diario del Grupo Prisa abría su edición del 12 de septiembre de 2001 afirmando que el mundo estaba en vilo a la espera de las represalias de Bush? Uno podría pensar que el mundo estaría conmocionado ante la magnitud de la tragedia. Pensaríamos en la multitud de familias rotas y destrozadas, víctimas del fanatismo; en vidas truncadas y en proyectos sin concluir. En definitiva, muertes inocentes y apátridas, víctimas del fundamentalismo islámico. Pero para cierta prensa no era así. Al fin y al cabo, ¿las víctimas no eran norteamericanas y el gran culpable era George Bush? Así que la noticia era esperar la venganza del ex presidente norteamericano. Porque claro, resultaba cuando menos obsceno el que Estados Unidos acometiera con su obligación moral y política –como debería de ser en cualquier estado de derecho– de hostigar y castigar a los criminales que atentaron con vileza contra lo que América significa: libertad, valores morales, sociedad civil, propiedad privada y democracia con auténtica separación de poderes.

El espíritu de este capítulo trágico en la historia -del que se cumplirá este año su décimo aniversario- ha vuelto a verse reflejado en la palestra informativa. Y es que ese odio ha vuelto a resurgir. Ha sido suficiente con que un desequilibrado disparase a la congresista demócrata Gabrielle Giffords, y a la muchedumbre que estaba a su alrededor para que la izquierda se haya vuelto a enmarcar como paradigma de la bazofia y de la infamia.

No existía apenas información fidedigna de lo ocurrido y se levantó la delirante teoría de que el criminal, Jared Loughner, era un entusiasta seguidor del Tea Party y, muy en especial, de Sarah Palin, autora intelectual del atentado para la patulea progre. Por tanto, la masacre de Tucson es efecto colateral de la agitación del odio creado por Sarah Palin, el Tea Party o de cualquier otro estamento que no sea de su gusto. No en vano la izquierda siempre tiene la razón, que para eso es la izquierda inteligente. ¿Olvidamos que durante la campaña electoral de las últimas elecciones en Estados Unidos ya pudimos escuchar todo tipo de exabruptos y mentiras contra este movimiento? ¿Olvidamos que se les tildó de extrema derecha? ¿Olvidamos que se les acusó de racistas cuando entre sus integrantes conviven personas de todas las razas y culturas?

Con todo, no solo cierta prensa europea ha puesto el gatillo en manos de Palin. Incluso actores norteamericanos como Jane Fonda o Sean Peen han tildado a la ex gobernadora de Alaska como autora intelectual de la matanza, ante la ovación generalizada del respetable izquierdista. Ya sabemos que la desfachatez y la grosería únicamente lo son cuando los miembros de la cultura que se posicionan están en la derecha, si es que se atreven a ser políticamente incorrectos. A estos se les invita a la inanición, por voto popular. ¿No creen, en cambio, que a la cultura de izquierdas no solo se le disculpa todo, sino que se les aplaude a rabiar?

El escritor liberal Jean-François Revel escribió un fantástico libro titulado La obsesión antiamericana, que tuve la suerte de leer hace algún tiempo, en el que diseccionó con maestría los antecedentes del antiamericanismo, la posición europea ante los movimientos políticos de Estados Unidos y las incongruencias manifiestas de su Francia natal frente a la superpotencia norteamericana. Revel catalogaba esta obsesión enfermiza afirmando que la certeza de ser de izquierdas descansa en un criterio muy simple: ser, en todas las circunstancias, de oficio, pase lo que pase y se trate de lo que se trate, antiamericano. Yo no me atrevería a corroborar al pie de la letra tal afirmación, pero me parece cuando menos irritante el mantra popular de que la izquierda nunca crispa y si pasa algo no es culpa suya. Sin embargo, el leitmotiv de la crispación y la acusación a Sarah Palin como precursora del gatillo son los fantasmas eternos de una izquierda lunática que difícilmente cambiará. Porque ese odio es inherente a sus principios.

La semántica según Zapatero

Ustedes con buen criterio sabrán que el término desempleado semánticamente se refiere a aquellos trabajadores que tienen la desdicha de no tener trabajo. Pues se equivocan. Nos dice nuestro presidente que ya no. Que quienes seguimos creyendo eso somos poco menos que iletrados. Todo porque nuestro querido presidente, a lo Anthony Blake, acaba de convertirse en un mago de la semántica y se ha inventado que hay trabajadores en paro que trabajan.

Imaginen que ustedes, por aquellos avatares de la historia y por las leyes de los sentimientos, se divorcian. ¿Se imaginan ustedes que según la nueva neolengua de Zapatero ustedes no estarían divorciados sino continuarían casados? Claro, ustedes estarían en una pausa corporativa de reflexión. Pero mientras tanto, no se preocupen, ustedes continúen teniendo hijos a mansalva y rehagan su vida con otra persona, pero no lo olviden ustedes no dejarán de estar casados. Así que no se preocupen. Hagan caso de la propaganda y la demagogia del presidente y vayan diciendo por ahí que ustedes no están divorciados y que continúan casados.

De igual modo, ¿qué pensarán los soldados de la guerra de Afganistán, que según nuestro presidente no están en una guerra? Y es que resulta que según la neolengua del zapaterismo en Afganistán no estamos en una guerra, sino en una misión de conflicto.

Verdaderamente, lo peor de semejante sarcasmo, no es que se trate de una broma de pésimo gusto, que también, sino que ha sido escuchado por los asistentes al Foro de Oslo sobre crecimiento y empleo organizado por el Fondo Monetario Internacional (FMI) y la Organización Mundial del Trabajo (OIT). Pero tampoco me extraña. Tal y como van las cosas uno tiene la sensación que a Zapatero lo invitan como a esa tía lejana y pesada en las bodas, a la cual se la invita para hacer bulto pero que carece de importancia. O tal vez se la espera solo para ser la estrella de la sátira y del corte de la liga para regocijo del personal. Lo peor es que el humor a veces se convierte en estupor. Y la estupefacción de los principales líderes económicos del mundo entero ha ido en consonancia con la comprensible indignación de quienes no trabajan porque no pueden hacerlo, entre otras razones por la pésima gestión económica del gobierno que lidera D. José Luis Rodríguez Zapatero.

Hay que tenerlos bien puestos, y perdónenme el casticismo, para plantarse en una cumbre internacional sobre empleo con la segunda mayor tasa de paro de Europa y sacar pecho jactándose de la cantidad de gente que tiene tiempo libre para completar su formación laboral. Hay que ser un irresponsable para dar lecciones de empleo cuando en tu país hay zonas donde la tasa de desempleo entre los jóvenes entre 16 y 26 años alcanza casi al 80%. Los más de cuatro millones de desempleados españoles, sobre todo aquellos que realizan algún curso del INEM, deberían de levantarse más contentos, eso sí atontados entre tanto Prozac y Diazepam. Motivos no les faltan. Que insulto a la sensibilidad y a la dignidad de tantos parados cuya angustia no se merece tal crueldad.

Pero no nos preocupemos y miremos en positivo el futuro, acorde a la nueva neolengua gubernamental. Los cursos de macramé, buceo y punto de cruz van a tener una demanda en paralelo al positivismo de nuestro presidente, además de maquillar las listas del desempleo. Poco importa la angustia que tienen tantos parados y ese millón de familias que no tienen ningún ingreso, en lo mejor de su vida, en la treintena. Pero se quejan sin motivo, pueden sentirse orgullosos de saber que están llevando a cabo una importante misión para su país, están trabajando en el futuro del país. Es lo que José Luis Rodríguez Zapatero ha descubierto. Por tanto, no seamos memos y aprendamos de igual forma que lo ha hecho él, que hay que modernizar el entendimiento de las cosas. Vamos, David Cooperfield al lado de Zapatero es un aprendiz de brujo. Si María Moliner levantara la cabeza, probablemente del bochorno volvería a la tumba.

Chiquilicuatre, gurú sindical.

El asunto sería anecdótico si no fuera por el verdadero drama social en el que está inmerso el país. La cosa sería casi cómica si no fuese por la consecuencia que la mala gestión del gobierno de José Luis Rodríguez Zapatero (y una oposición no menos atroz) está teniendo para la economía y el empleo de este país. Resulta que cuando uno creía haberlo visto todo acerca de los sindicatos en España, nos llega su última bufonada surrealista y vuelven a cabrear al respetable. Muerto Marx y la Pasionaria y con Sabina, Ana Belén y Víctor Manuel renegando de la alegría que con tanto ahínco defendían, ha llegado la hora de que Rodolfo Chiquilicuatre ocupe con todos los honores ese puesto de gurú de la izquierda sindicalista y social. Así pues, el artífice de ridiculizar a Eurovisión, se convierte en altoparlante de la UGT para exaltar a las masas de cara a la huelga general convocada para el próximo día 29 de septiembre.

Y lo hacen con una elegancia suprema, con un vídeo que está, como decía Jean Rostand, en el justo medio, como la virtud, entre la tontería del vulgo y la de los elegidos. Solo que en este caso su elegancia está salpicada de una mediocridad que asusta, en la que la profundidad, la clase y la brillantez dejan mucho que desear.

La estética es lo de menos. Sin embargo, hacer bromas con que un negocio se va a pique, hablar de esclavitud refiriéndose a la mujer o que la empresa aún resiste porque tiene reservas, parece cuando menos de mal gusto con los tiempos que corren. Cuesta imaginar, por ende, un atisbo de sonrisa entre los más de cuatro millones de parados o en los empresarios que luchan por sacar adelante sus negocios, auténticos artífices de crear puestos de trabajo, en la mayoría de los casos dejándose su patrimonio en el camino. Quizás sean bromas propias de plena tertulia frente a la máquina del café -propias de un famoso show televisivo- o tras el carajillo del almuerzo.

Pero la cosa ya chirría cuando éstas y otras lindezas se escuchan en un vídeo encargado por UGT, liberados del arte de trabajar por obra y gracia de las bondades de la teta pública, de estos coros y danzas del gobierno de Zapatero que han sido incapaces de protestar y alzar la voz contra su líder, porque las lentejas del erario público les han alimentado muy bien. De hecho, ni la congelación de las pensiones, ni el recorte del salario de los funcionarios, por citar solo algunos de los recortes del Gobierno, han impedido al gobierno de D. José

Luis Rodríguez Zapatero seguir premiando a los sindicatos con subvenciones millonarias, para luego gastarlos en vídeos groseros, machistas y ser una clara apología a la fobia de clases. Todo muy constructivo y con una gran dosis de talante.

No cabe duda que los sindicatos, sobre todo Comisiones Obreras, hicieron una formidable labor contra la dictadura en los años espinosos del franquismo. Sería injusto no nombrarlo. Pero los tiempos cambian. Y tras años de democracia y profundos cambios sociales, continúan envueltos en sus mismas retóricas, puño en alto con sus pañuelos rojos de Gucci, con un discurso, en mi opinión, caduco. Es hora, por tanto, de preguntarse si esta es la forma con la que pretenden adaptarse a los nuevos tiempos y contribuir a sacarnos de la crisis. Y todo ello con dinero público.

Pero voy más allá. Creo que sería interesante que el Gobierno abriera una casilla en la declaración de la renta para que afiliados y simpatizantes dedicaran una parte de los impuestos que pagan a subvencionar las actividades sindicales. Como, por otra parte, ya se hace en varios países europeos. Es lo justo. Es exactamente el mismo argumento que teníamos todos aquellos ciudadanos que no queríamos financiar a la Iglesia Católica y optábamos para que fueran sus fieles los que la sufragasen.

Afortunadamente, la Iglesia vive ahora del 0'7% de los impuestos que sus fervientes seguidores les adjudican en la declaración de la renta, aparte de las contribuciones directas de los fieles. ¿Estarían de acuerdo los sindicatos en que se haga con ellos lo que se ha hecho con la Iglesia Católica? Me temo que no. La hipocresía va por barrios, aunque sean obreros.

29-S. Por qué yo no he ido.

Es posible que después de escribir este artículo sea víctima de un piquete informativo, acusado de alta traición a la clase obrera. Acaso la furia desmedida se materialice en forma de ataque a mi blog por parte de algún hacker. Visto lo visto, ya sería una buena noticia que todo se quedara ahí. Por suerte, hace tiempo que en este país muchos hemos perdido el miedo a vivir en libertad, aunque sea incorrecta. Por eso, no tengo dudas en confesar que soy uno de esos esquiroles que no ha secundado la huelga general. Me sobran los argumentos. Y no porque no crea que no hay motivos para organizar una huelga contra el gobierno del Sr. Rodríguez Zapatero, que haberlos haylos, sino porque no quiero ser cómplice colateral de un gobierno que ha sido incapaz de reconocer la magnitud de la crisis económica y, por tanto, no actuar en consecuencia. Lo que nos hubiera ahorrado, posiblemente, esta situación tan dramática. Como consecuencia, no se hubiera tenido que tomar medidas tan lesivas contra los derechos de los trabajadores. Pero hay más motivos. Este Gobierno no solo no ha bajado los impuestos a las familias y a las empresas para que ahorren e inviertan más, generando empleo y riqueza, sino que no ha reducido sustancialmente el dispendio público, único modo de equilibrar las balanzas fiscales.

Pero más allá de razones gubernamentales de peso, no he querido participar en esta huelga para no apoyar a estos sindicatos de clase, auténticos coros y danzas del gobierno durante tantos años y cómplices de la mayor tasa de desempleo de la Unión Europea. Más allá del baile de cifras y arengas de vencedores y vencidos, si hay algo claro en esta película, que firmaría Berlanga por lo cómico, es que los sindicatos pugnan en desprestigio con el Gobierno Zapatero, máxime por ejercer la genuflexión sin mostrar inquietud alguna con el aciago aumento del número de parados. La sinopsis no tiene doble lectura. Unos sindicatos desacreditados por la cantidad abusiva de liberados sindicales, por ciertos vídeos de una grosería y un machismo atroz y por la dote económica que han percibido de este Gobierno procedente de los bolsillos de los contribuyentes. Eso piensan, sobre todo, los ciudadanos, que con sus impuestos pagan los honorarios de nuestros sindicatos, postrados en el maravilloso deporte de lactar ansiosamente de la ubre pública.

No voy a entrar en el juego sucio del sindicalismo burgués, la gauche caviar que dirían los franceses, ni de sus gustos por los restaurantes caros y los cruceros de lujo. Allá cada cual con sus incongruencias morales. Pero de lo que no hay duda es que tenemos unos sindicatos que practican la opacidad sobre sus ingresos y su gestión, ocultan sistemáticamente a sus afiliados y a sus liberados sindicales, invocan a la violencia durante la huelga (como demuestran las amenazantes cartas enviadas a muchas empresas días antes de la huelga), se jactan de querer reventar las ciudades gracias a su obsesión enfermiza por paralizar el transporte público y hacen ascos a los empresarios, auténticos adalides en generar empleo. Por supuesto, mi absoluto respeto hacia aquellos sindicalistas cuya única arma piquetera fue la palabra y el diálogo, con los cuales yo me crucé. Pero es inadmisible que en pleno siglo XXI los conflictos laborales se encubran con la violencia y la intimidación. Las prácticas mafiosas no tienen legitimidad alguna en un estado de derecho como el nuestro, en el que debe prevalecer el respeto a los derechos y libertades fundamentales, el derecho a la huelga y el derecho al trabajo. Así pues, es execrable que intenten conseguir que los trabajadores cierren sus negocios con la amenaza directa y el chantaje, por obra y gracia de pseudopiquetes informativos, fervientes seguidores del pegamento, la masilla y la silicona.

En fin, ya que no se ha podido frenar el latrocinio y el ataque a la libertad de muchos ciudadanos a ejercer su derecho a trabajar, espero que este exiguo seguimiento de la huelga (aunque manipulen las cifras diciendo que un 70% de los trabajadores no han acudido a sus puestos de trabajo) sirva al menos para que los sindicatos se replanteen sus prácticas coactivas, más cercanas a tiempos pasados que a sociedades modernas, y sus discursos caducos. Porque la huelga no va a redundar en beneficio de nadie. Ni de los sindicatos, ni del país en su conjunto. La huelga ha sido un fracaso colectivo y una pantomima atroz. Fracaso del gobierno, fracaso de los sindicatos y fracaso de la oposición, que ha naufragado entre dos aguas.

Si el presidente Zapatero no cede ante la presión, todo seguirá igual y la reforma laboral continuará adelante tal y como estaba aprobada. Si lo hace, los sindicatos habrán puesto su testosterona encima de la mesa y se blasonarán de su victoria. Con todo, el gran perdedor será el país, que se abatirá de nuevo en el drama social y exhalará su último aliento ante una nueva amenaza de bancarrota. Sin embargo, me temo que esto último le importa muy poco a nuestros sindicatos.

El desconcierto de Zapatero

Falta de estrategia. Así se pueden definir las últimas propuestas del Gobierno socialista. Después de meses de incertidumbres y de parches frente al recrudecimiento de la crisis, el Gobierno socialista ha aprobado un plan de austeridad cuyas decisiones más sustanciales son la reforma de las pensiones, con el retraso de la edad de jubilación como medida estrella, y el ahorro de 50.000 millones de euros (sin concretar qué partidas se van a recortar) en cuatro años, a la vista de que el déficit público alcanzó el 11,4% del PIB en el 2009, dos puntos por encima de la última previsión oficial y, por otro lado, los planes de aumentar de quince a veinticinco años el período de cálculo de las pensiones.

La medida, impopular donde las haya, se ha hecho con nocturnidad, alevosía y, tal vez, con una traición al espíritu del Pacto de Toledo. ¿A qué me refiero? A que la única forma de abordar con garantías de éxito una iniciativa como hubiese sido dentro de un gran pacto de Estado, en el que los sindicatos hubieran aceptado la inexorable medida a cambio de otras contrapartidas y otros derechos, pero en un marco de sacrificios para todos. Pero no, se ha hecho sin consenso, sin proyecto, sin estrategia. El Gobierno ha lanzado al aire (y a un grupo mediático) la idea de alargar la edad laboral para salvar las pensiones y ampliar a 25 años los necesarios para calcular la pensión (lo que reduciría el importe un 10%) No me cabe la menor duda de que todo esto hubiera merecido algo más de sensibilidad social. ¿No habría sido más sensato plantear una solución como ésta, al final de un debate y no desde la precipitación, la improvisación y por la puerta de atrás?

Porque el debate ya está abierto en el seno de la Unión Europea. De hecho, la mayoría de los países europeos han aprobado planes similares a los que pretende el Gobierno socialista con el fin de luchar contra el efecto del envejecimiento de la población. El dato invita a la reflexión. Cada vez hay más gente mayor que necesita atención personalizada, elevando el gasto sanitario y reduciendo el número de cotizantes a la Seguridad Social. Pero, a su vez, el índice de natalidad se está desplomando. Una combinación letal para las pensiones, sin duda. En el caso de España es aún más grave. Hace poco, leí unas estimaciones del Instituto Nacional de Estadística (INE) que decía que la población mayor de 65 años se duplicará en cuarenta años y supondrá el 31% del total, lo que nos convertirá en uno de los países más envejecidos del mundo. Por tanto, cada vez habrá menos trabajadores en activo para sostener las prestaciones de los jubilados.

Pero, a pesar de este dato que sin duda es preocupante, ¿por qué empezar la casa por el tejado? ¿No ha pensado, por ejemplo, el gobierno que primeramente habría que ocuparse de otras medidas que sí considero que son absolutamente inmorales en cualquier sociedad que se precie, antes de lanzar una medida tan sensible? Me refiero a dos medidas: al frenado del escandaloso proceso de prejubilaciones que no solo retira trabajadores del sistema económico en plena edad productiva, sino que además hace que, en parte, el coste lo estemos pagando entre todos y, por otra parte, a la reinserción más eficaz de aquellos que no encuentran trabajo tras los 50 años, por considerarlos inservibles.

Y si esto no fuera poco, les propongo a sus señorías otra medida para paliar el agujero de la Seguridad Social, aunque peque de leitmotiv demagógico. Bastan once años en el Parlamento para tener derecho al cien por cien de la pensión máxima, amén de siete años para llevarse el 80%. Aún reconociendo las peculiaridades que tiene ser diputado, con la limitación de carreras profesionales en el ámbito privado (en algunos casos, puesto que muchos diputados compaginan la vida pública y la privada), este complemento vitalicio a las pensiones de sus señorías los convierte en un colectivo privilegiado. ¿Nos darán ejemplo con una bajada de sus pensiones o un aumento de los años cotizados para llevarse la pensión máxima?

Me temo que lo que pido es un brindis al sol. Lo que no me cabe duda es que este triple salto mortal de Zapatero hacia el abismo invita al desconcierto o en el peor de los casos, al pesimismo y a la sensación de un gobierno que nos conduce a un clima próximo a la crispación.

Vente a Alemania… Jonathan

¿Quién no recuerda aquella película de Pedro Lazaga ambientada en la España de finales de los 60 en la que tras emigrar a Alemania Angelino regresa a su pueblo por vacaciones? Sin duda, una película que para muchos -aunque nos parezca excesivamente supravalorada- nos traslada a los años de la miseria, a la vida retransmitida en blanco y negro, a una vida que ya creíamos extinguida y que desembocó, con la llegada de la transición y la democracia, en un más que notable aumento de la clase media. Pese a ello, soy de los que piensan que hemos olvidado muy rápido a demasiados Angelinos y todo lo que significó el exilio y la huida a otros países para muchos españoles. Hemos borrado de la memoria, a la sazón, el dolor de la distancia y el sufrimiento de interminables horas de trabajo. Ya no recordamos cómo exhibían al retornar, delante de sus parientes, todos los frutos de su aventura germánica, entonando las virtudes de los bávaros y blasonándose de su éxito. Hemos olvidado, desgraciadamente, que salimos de la España de Pepe gracias a que muchos decidieron transitar por los caminos de la expatriación con poco más en la maleta que la ambición de salir a flote. Porque, al fin y a la postre, la película de Lazaga, no es más que una dolorosa descripción de la España del franquismo y del tardofranquismo. Una España descrita por los éxodos masivos, que quería huir de la miseria, del desempleo y de la búsqueda de un bienestar económico fragoso en la era de la dictadura, lo que provocó el desembarco de miles de españoles en países como Francia, Alemania y Suiza.

Por suerte, la historia del cine, del mismo modo que el de la vida, está repleto de milagros, de personajes imprescindibles, o casi, que figuran por una serie de casualidades o porque proyectan en nosotros los capítulos de la historia, que ni el tiempo puede silenciar. Es quizás, uno de esos personajes, Pepe, magistralmente interpretado por Alfredo Landa, vecino de Angelino y cateto refinado, el claro reflejo de lo que significó Alemania o Francia para muchos. Un Landa que decide emigrar al paraíso alemán. Sin embargo, la realidad que se encontrará será muy diferente de lo esperado. Cuesta olvidar la extraordinaria imagen de soledad de Pepe fregando los cristales de los edificios a la luz de la típica grisácea mañana grisácea alemana. ¿Recuerdan a ese Pepe apesadumbrado por los sueños incumplidos y cansado de trabajar en los oficios más abominados? Sin lugar a dudas, esa iconografía es todo un monumento a la simplicidad y a la memoria histórica –que no histérica- y a las provincianas ilusiones de los españoles de entonces que, desgraciadamente, vuelven a rezumar en nuestra memoria con una fuerza inusitada al compás de los últimos acontecimientos.

Y es que resulta que Alemania, la locomotora económica europea, sufre el síndrome de la escasez de expertos y ha decidido captar a los más sobresalientes, harta quizás de importar a tantos turcos. En los próximos días se ha de concretar una oferta determinada para ciudadanos españoles. Así que esta noticia ha resucitado con una fuerza inusitada el Vente a Alemania, Pepe de antaño, aunque revestido de tics modernos. Un homenaje agrio al *vintage* patriótico. En la actualidad, esas maletas de cartón atadas con una cuerda son ya parte del pasado y poco queda ya de aquellos dulces caseros y aves de corral sobresaliendo de pequeños cestos de mimbre como compañeras de viaje en aquellos interminables viajes en autobús. Los nuevos protagonistas del remake de Lazaga, tendrán estudios superiores y llegarán a su destino con mucha más facilidad. Por suerte, nuestros nuevos emigrantes, en una Europa sin casi fronteras y trufada de globalización, no solo se moverán por un territorio europeo tan suyo de hecho y de derecho como de los alemanes, sino que hablan idiomas – menos que la media europea, pero sin punto de comparación con su anterior generación-. Llegarán en avión con compañías de bajo coste y con maletas de diseño. Sin embargo, ¿no les parece que este exilio –en muchos casos forzoso- es el paradigma más absoluto del fracaso de la política económica del Sr. Rodríguez Zapatero, responsable, sin duda de que muchos jóvenes tengan que imitar a Pepe y ganarse las lentejas allende nuestras fronteras por haber hecho de España, el paradigma del desempleo?

Sin embargo, cómo la cosmovisión depende de la mirada del interlocutor, ante la inminente fuga de cerebros, como en la mayoría de países africanos, cuyo máximo exponente de la tragedia es precisamente el abandono de los eruditos africanos a tierras más pródigas, pongamos buena cara y pensemos que van a volver aquellas escenas de las noches de canícula. Aquellas imágenes imborrables que muchos hemos presenciado en los callejones de nuestra infancia y en las cuales los emigrantes regresaban al pueblo con coches grandes y caros, con matrículas extrañas. Con todo, habrá siempre algo irrefutable. Nuestro nuevo emigrante ya no se llamará Pepe, sino Jonathan o Jennifer, pero, al igual que el personaje de Landa, atesorará las cualidades que antaño dieron prestigio a los españoles allí donde fueron a trabajar: el esfuerzo y las ganas absolutas de prosperar. Hay cosas que ni el tiempo puede cambiar.

Y Zapatero... despertó del coma

Cuando algunos pensábamos que el gobierno socialista languidecía y parecía abocado a la desesperación, resulta que ha enseñado la patita y ha despertado de su letargo. Lo triste es que no ha sido por obra y gracia del sentido común, sino porque ha recibido una reprimenda internacional descomunal que ha aniquilado la credibilidad del presidente, José Luis Rodríguez Zapatero y a su alter ego, ZP.

Primero Bruselas, con reuniones nocturnas incluidas, y después la Casa Blanca, han exhortado al inquilino de La Moncloa a frenar el derroche de dinero público, cerrar el agujero en las cuentas del Estado y aprobar un plan de recortes para evitar la suspensión de pagos del país y su posterior rescate. Aunque, el pasado 7 de mayo España entró en quiebra y fue intervenida de urgencia aunque intenten taparlo. En ese día razones no faltaron para dar por bueno el rumor de que España estaba en *default*. Hasta el presidente del Gobierno, José Luís Rodríguez

Zapatero, tuvo que desmentirlos desde Bruselas ante la pregunta de los medios de comunicación. Los hechos retroalimentaron el rumor. Nadie quería deuda de los países periféricos europeos, ni pagando unos intereses exorbitantes, ningún banco se prestaba dinero, como sucedió en los momentos más cruentos de la crisis financiera.

Y es que tal es la preocupación de Europa por la grave situación que atraviesa la economía española que el tijeretazo anunciado por el presidente del Gobierno para reducir el gasto, ha traspasado las fronteras peninsulares, y son cuantiosos los medios extranjeros que se hacen eco del ya famoso plan de ajuste español.

Sin ir más lejos, la BBC dibuja un breve resumen de estas medidas, asegurando que llegan tarde y por imposición. Asimismo, el diario británico *The Guardian* habla de giro radical en la política del presidente español y de intento de supervivencia. Y aunque asegura que son las medidas que esperaba Europa para no caer en el mismo pozo que Grecia, sí que afirma que dicho plan le va traer serios problemas con los sindicatos y con los partidos políticos. Por último, *Le Figaro*, el diario líder conservador francés, habla de una cura de austeridad para España, refiriéndose a las medidas radicales tomadas por el Ejecutivo español -amén de recoger las críticas de los partidos de izquierda y de los sindicatos-.

Está claro, a la vista de esta expectación, que ni los mercados, ni los socios europeos, ni Obama admitían más demoras ni más discursos optimistas y de buen karma kumbayá. Pero Rodríguez Zapatero, como un viejo scout, hacía bandera de sus principios más queridos, mantenidos contra viento y marea durante los dos primeros años de la crisis, como el rechazo a los recortes sociales o a rebajar la ayuda al desarrollo. Pero tras negar su necesidad solo cuatro días antes, el presidente del Gobierno ha claudicado y ha anunciado el plan de ajuste más severo que se recuerda, que incluye un tijeretazo del 5% en los sueldos de los funcionarios, la supresión del cheque bebé de 2.500 euros implantado en vísperas de las anteriores elecciones y, lo que resultará más difícil de explicar a su electorado, la congelación de las pensiones, cuya subida era celebrada cada año puño en alto en la fiesta minera de Rodiezmo.

Malos tiempos, pues, para los devotos de la socialdemocracia. La muerte en el rostro, que dicen los franceses, en la que se convirtió la cara del presidente Zapatero cuando pidió un esfuerzo nacional colectivo -que va a afectar principalmente a pensionistas, funcionarios, familias que tengan descendencia o con miembros dependientes-, es un drama. ¿Y dónde queda el recorte ministerial o la supresión de altos cargos y asesores, sin duda más importantes que las medidas que se han tomado? Verdaderamente, medidas sacadas de un péplum monclovita que si no fuese porque van a influir en la vida de muchas personas a uno le entrarían ganas de nominar a esta película como candidata al peor guión de los *Golden Raspberry Awards*, los antioscars.

Y es que este guión, que incluye la congelación de las pensiones públicas es quizá, la medida más rupturista del ideario socialista. Pone fin a 25 años de subida garantizada por ley. De hecho, por las bambalinas del cónclave socialista ya se tararea lo de si Pablo Iglesias levantara la cabeza…

Fuera ironías. A partir de hoy, el discurso del presidente del Gobierno será distinto. Va a tener que gobernar a la contra de buena parte de la sociedad, que le echará la culpa de sus males futuros porque no supo plantear las reformas en el pasado.

De momento Europa, ha impedido la debacle. Lo que pasa es que esto no es el acabose, sino el continuose del empezose, como decía Mafalda. Y aunque no se percibe ambiente de huelga general, aunque los sindicatos ya están preparando una huelga de funcionariado público después de seis años de luna de miel y cuatro millones y medio de parados –sin maquillaje-, sí se avista una rebelión cívica. Y es que si en el ámbito social el Gobierno lo tiene peliagudo y se masca la tragedia electoral, en el ámbito parlamentario aún lo tiene peor. Me temo que vamos a presenciar la defunción del gobierno ZP por inanición. No se preocupen. Ahora empezarán a aparecer los postulantes que aún velando el cadáver estando todavía caliente, pugnarán por heredar los escombros del reino. La cuestión es saber los escombros que van a quedar y cómo los vamos a pagar.

3.4 La ruina social y la libertad ciudadana

Facebook revolution

Nadie sabe cómo ha pasado y todos buscan ideólogos, como si tuviéramos una obsesión por encontrar al padre de la criatura. Pero lo cierto es que el *Facebook revolution* ha estallado, así, sin esperarlo. Lo cual nos demuestra que las redes sociales tienen un poder de movilización que nuestra casta política ha minusvalorado hasta ahora. Tal vez sea esta la razón por la que no debería extrañarnos que en el desierto de las ideas y en la mediocridad congénita por la que cabalgan nuestros políticos, florezca en un caluroso mes de mayo el espíritu olvidado de unos jóvenes indignados, al amparo de un libro de Hessel, previsible, vacío y simple, o del espíritu rebelde de Jeanette. No engaño a nadie si afirmo que yo también estoy indignadísimo. Hay motivos suficientes para salir a la calle.

Muchos estamos indignados y llevamos años abogando por la supresión de los privilegios en el pago de impuestos, los años de cotización y el monto de las pensiones de nuestra casta política, listas abiertas y la eliminación de la impunidad asociada al cargo. Sin embargo, a estas alturas ya no me creo esta revolución condensada en 140 caracteres *twitteros*. Por supuesto que apoyo muchas de las consignas que se están reclamando en Sol o en la Plaza de Cataluña. Pero entre otros disparates no podemos olvidar que se está reclamando la nacionalización de la banca y la expropiación de pisos vacíos. Es decir, el paradigma de un régimen comunista.

Me encantaría pensar bien, descender de montañas no tan lejanas, llevar margaritas y sofás de una conocida empresa sueca y unirme a los espontáneos, como me pedía a voz en grito un indignado el otro día paseando por el centro de Barcelona. Y todo al tiempo que usaba su tarjeta en un cajero automático, mientras en su espalda llevaba un cartel que decía Abajo la banca. Pero al mismo tiempo, comparto la preocupación de los comerciantes de Sol y de los vecinos que tienen sus dudas de cómo semejante poblado lleno de huertos urbanos y buenas intenciones no solo puede masacrar sus pequeños negocios sino que desconocen cómo acabará esto con el desempleo en España. Y servidor tampoco entiende por qué en las concentraciones hay más gritos contra Esperanza Aguirre que contra José Luis Rodríguez Zapatero. ¿Será por qué entre los indignados está una de las hijas del presidente?

Porque claro la indignación se está produciendo no en La Moncloa, hábitat natural de la agitación contra el inventor de la ruina, sino en la sede de la Comunidad de Madrid. Y por allí se amontonan los clásicos, capitaneados por Willy Toledo y el inefable Santiago Segura. No sé si para tocar la flauta, hacer ruido o buscar extras y localizaciones para Torrente antisistema.

Lo que está pasando es tan telegénico que ha eclipsado por completo lo que está pasando en este país. Hoy no se habla de los cinco millones de parados. Hoy no se habla de los ERES de reptiles del PSOE andaluz. Hoy no se habla de la ruina económica y hoy ya no se habla de que ETA va a estar en las elecciones arrasando. De lo único que se habla es de estos hijos del espíritu de Hessel que bienintencionadamente quieren cambiar el rumbo del país. Con todo, lo mejor son las frases que Penélope Cruz ha aportado a la causa, que estas protestas le rompen el corazón, mientras anima al personal a ir a ver su última película "porque es bueno pensar en otras cosas durante dos horas". Todos preocupados por la democracia, todos preocupados por la agitación, todos en vilo con la indignación y la limpieza en las calles y la solución está en ver Piratas del

Caribe. Es que algunos no nos queremos enterar Penélope. La solución está en la piratería. ¡Qué provocación para la SGAE!

Bandoleros e indignantes

La causa era excelente, algunas propuestas fantásticas. De hecho, muchos hemos apoyado diversas de las cosas que se expresaban, pero han fallado las formas y algunos tenemos la triste sensación de que el monstruo ha disipado a las ideas y que el parte médico anuncia una muerte con lenta agonía. Algunos ya advertimos que había demasiado romanticismo con este movimiento, que había un ambiente de euforia y de nostalgia revolucionaria creyendo que resurgía el espíritu de mayo del 68. Pero, ¿olvidamos que la nostalgia en no pocas ocasiones resulta ser una trampa inocente y peligrosa? Los hechos así lo confirman. No solo porque en nombre de esa libertad y de esa democracia real -a la que tanto invocan-, han quebrantado la libertad individual de los comerciantes de la Puerta del Sol, cuyas pérdidas millonarias son irreparables sin que parezca que a nadie le importe un ápice. Sino porque gracias a la permisividad de Rubalcaba -presidente de efecto que no electo-, permitiendo incluso las concentraciones en la jornada de reflexión, ha tenido como consecuencia, en mi opinión, la sensación de impunidad de los indignados y su consecuente chulería, campando a sus anchas sin orden ni concierto por las calles y plazas del país, paralizando el tráfico y los transportes públicos, acampando en el Congreso de los Diputados y atemorizando a comerciantes y ciudadanos.

Pero cómo no conseguían nada y la gymkhana kumbayá - envuelta en utopías asamblearias- se enmarcaba en la división, algunos asaltaron en directo la televisión autonómica murciana, la sede de la patronal o comportándose como auténticos bandoleros robando en un supermercado de una conocida empresa francesa so pena de dar de comer a los pobres. Y como aquí no pasaba nada, cercaron e insultaron a los alcaldes y concejales el día de la constitución de los Ayuntamientos y muchos de ellos tuvieron que salir escoltados. No les bastaba. La broma y el hippismo antisistema condujeron a las hordas indignadas a allanar el portal del domicilio particular de Alberto Ruiz-Gallardón, alcalde de Madrid, para reprenderle, mientras paseaba con su perro. Las coacciones ya llegaban hasta el lugar más íntimo de las personas.

Pero el delito resulta extremo cuando se trata de evitar que un Parlamento democrático, como el catalán, se reúna para cumplir con su obligación de representar a todos los catalanes, utilizando para ello la coacción y la violencia y obligando al presidente de la Generalitat y a varios consejeros y diputados a ir en helicóptero, mientras otros lo hacían hacinados en furgones policiales. Otros políticos fueron insultados y agredidos, incluido un diputado invidente al que quisieron robarle su perro lazarillo, en el colmo del delirio. Es surrealista. El mundo al revés, que diría un amigo mío, el poeta Ángel Padilla: los fanáticos violentos haciéndose dueños de la calle y los políticos en el furgón de la Policía. Una escena insólita en una democracia occidental pero que cada vez tiene más fuerza en Barcelona, parque temático y hábitat natural de los antisistema. Pero por si todo esto fuera poco, faltaba la abominable cruz pintada en la espalda de la diputada socialista Montserrat Tura. Lo cual no es baladí, puesto que esconde mucho más que un estallido descontrolado. Es un tic totalitario propio de la Alemania Nazi. Y así empezaron los totalitarismos, ya sean de izquierdas o de derechas, señalando al disidente o al enemigo.

Haciendo mía la idea de la escritora judía Hannah Arendt, aunque con mis propias palabras, el primer responsable del asalto al *Parlament* de Cataluña son los propios violentos, disfrazados esta vez de indignados. Pero no nos engañemos. La responsabilidad también radica en el buenismo congénito de la clase política, que ha minimizado lo que estaba sucediendo dentro del movimiento o que ha tratado de ganárselos electoralmente; del romanticismo ciudadano, que los veía como libertarios y de los medios de comunicación. Todo envuelto en un comportamiento paternalista que ha mimado hasta el tuétano la pseudorevolución y que incluso ha levantado la voz por la intervención de la policía cuando ha sido necesario. Y ya sabemos el miedo antropológico que produce en algunos el famoso mantra de que se levanten las porras. Eso solo es patrimonio de gobiernos autoritarios.

Lo siento. Hoy el indignado soy yo. Porque, en contra de lo que se pueda pensar, la democracia no se decide en Facebook. La democracia real está en las urnas, en las organizaciones sociales, en la defensa de la libertad, en la participación ciudadana y en la libertad de expresión. Ahora desgraciadamente el flower power que ha seducido a las masas ha degenerado en una Kale Borroka que amenaza con anticipar la necrológica de un movimiento exagerado hasta el extremo. Y ahora en medio de un ambiente hipócrita todo el mundo se lleva las manos a la cabeza. Ya es tarde. Pero al tiempo. Lo ocurrido es el prefacio de lo que se avecina para las elecciones generales.

Los antisistema visten de Prada

Desde hace algunos años impera en muchos ambientes de Barcelona una opinión unánime sobre la caída de un modelo de ciudad que ha muerto de éxito. De hecho, el diario francés Le Monde se hacía eco hace algunas fechas de la degeneración de la capital catalana afirmando que Barcelona era una ciudad de putas, robos, corrupción y propaganda. Todo lo cual, visto desde fuera, debe parecer insólito, teniendo en cuenta que Barcelona no solo sigue estando de moda, sino que ha escalado de un modo consistente hasta las primeras posiciones en diversos barómetros europeos sobre calidad de vida y ubicación preferida para hacer negocios. ¿A qué cabe atribuir tales perspectivas de muerte anunciada? ¿Qué ha pasado, pues, en la ciudad de la libertad por antonomasia y de la tolerancia con seny? ¿Cómo se ha llegado a tal grado de degeneración?

Sin duda, los violentos incidentes perpetrados por grupos antisistema hace pocas fechas han sido la punta del iceberg de un deterioro progresivo que obligan al conjunto de la sociedad catalana, y sobre todo a los poderes públicos, a una reflexión sobre qué se está haciendo mal para que este fenómeno de la saña, la violencia callejera y el latrocinio de lo público se haya hecho crónico en Barcelona. Y todo gracias a que no se ha parado de esparcir por toda Europa que Barcelona es un vergel de libertad y tolerancia (que lo es), una ciudad friendly, un atractivo para que los perroflautas radicales del globo terráqueo campen a sus anchas y conviertan las celebraciones populares de la ciudad en sus desmanes trasnochados y repulsivos.

O sea, que mientras los extranjeros y los antisistema se vuelven locos por venir a Barcelona, muchos barceloneses estamos casi hasta el gorro. Sin embargo, si esto es ya de por sí preocupante y una afrenta para todos aquellos que vivimos en la ciudad, lo más deplorable, sin duda, es la actuación de la clase política catalana contra estos grupos de jóvenes violentos.

Es decir, si algunos estamos hastiados de tanto neo-salvador y tanto hostigador del capitalismo, más cansados estamos del papel que está teniendo en esta contienda la izquierda eco-socialista y que se reivindica así misma como la izquierda auténtica. Serán de izquierdas, pero son unos irresponsables gobernando. Y si no, recordemos el numerito que dio el día de la huelga general el testaferro de Joan Saura, consejero de interior de la Generalitat catalana, el erudito Joan Boada. Por supuesto que tenía todo el derecho, como individuo y como militante de Iniciativa per Catalunya, de secundar la movilización sindical y protestar contra el gobierno del Sr. Rodríguez Zapatero. Faltaría más. El único inconveniente, nada nimio a mi juicio- es que, además de individuo, militante de un partido y manifestante esporádico, con coche oficial y chófer, suma la de cargo público, es decir, Secretario General de Interior. Así que mientras él se manifestaba por las céntricas calles de Girona, pancarta en mano, los antisistema y acólitos estaban enfrentándose con una mezcla de chulería y prepotencia, a la policía, saqueando tiendas y destrozando el mobiliario público del centro de Barcelona y con la venia de la Consejería de interior, cuyo ideario invita a no levantar porras porque eso es patrimonio de la derecha.

Pero, en medio de este sainete, ¿nos puede extrañar algo? La historia y la hemeroteca son demasiado peligrosas para el honor de nuestra clase política. Y claro, la izquierda verde no iba a quedarse al margen de sus propios errores de bulto y sus incongruencias ideológicas. ¿Recuerdan las palabras de la primera teniente de Alcalde del Ayuntamiento de Barcelona,

Inma Mayol, muy vinculada emocionalmente con el encargado de la seguridad en Catalunya, el Sr. Saura? Sí, aquella que sin pelos en la lengua hace pocos años decía afirmar ser antisistema. Pero claro, antisistema con coche oficial, por supuesto. Nadie renuncia al attrezzo, sobre todo si viene con el ajuar del cargo.

Uno se debería preguntar, por tanto, en las similitudes que tienen las vidas de ciertos políticos antisistema de Barcelona con las cuadrillas de ciudadanos anticapitalistas y antiglobalización a los que parecen enaltecer y pertenecer. Los antisistema viven en casas ocupadas, alguno pasa algún verano solidario en algún país en vías de desarrollo o dedican parte de su tiempo a una causa social, visten con ropa de segunda mano, no tienen oficio ni beneficio, y menos en la administración pública a la que dicen aborrecer, y, por supuesto, no creen en el sufragio universal. Sin embargo, los líderes eco-socialistas antisistema, poseen un magnífico ático en uno de los barrios más chic de Barcelona, exhiben sus pieles bronceadas en su chalé de la Costa Brava en verano, no es infrecuente verles en la exclusiva tienda de Gonzalo Comella en Paseo de Gràcia, arteria del lujo de la capital catalana, garrapiñando las últimas tendencias de Calvin Klein, Armani, o Jimmy Choo. Rebeldes, pero con causa –léase con Prada- Y, faltaría más, tienen un magnífico jornal que sale del bolsillo de todos los contribuyentes, más coche oficial. Son antisistema, pero no idiotas.

En fin, no solo estoy harto de la incapacidad de nuestras autoridades por mantener el orden y el cumplimiento de las leyes básicas de convivencia y detener el avance de esos libertadores de las ideas, que campan a sus anchas por las calles con el beneplácito de los anti-todo del consistorio barcelonés y la complicidad inexorable de los habitantes del edificio de enfrente, sino que estoy hasta las narices de la hipocresía política y del fracaso de parte de la izquierda. Lo peor no es la incompetencia. Lo peor es que se creen la izquierda inteligente y moralmente superior. Pero me temo que en la batalla de las ideas no solo es importante tener razón, sino saber transmitirla y actuar en coherencia. Me temo, pues, que el buenismo de cierta izquierda *eco-friendly*, no es más que una tapadera para no hacer autocrítica de sus muchos errores. Y los ciudadanos perdonan los errores, pero jamás la soberbia.

El espíritu de la Cheka

Fueron mimados hasta el tuétano, agasajados con una simpatía sospechosa e inoportuna. Fueron tratados con un paternalismo del que muchos ya se han arrepentido viendo que aquellos simpáticos muchachos de la izquierda que abogaban por cambiar la democracia -osando incluso con ponerle apellidos a semejante término, lo cual es para echarse a temblar,- han derivado en un izquierdismo trasnochado, liberticida, sovietizado y con el espíritu de la Cheka por bandera.

Por supuesto, que es lógico que exista un clima de indignación. No en vano, este gobierno ha llevado a más de un 20% de la población al sumidero del desempleo y a más de un 40% de los jóvenes a un futuro cuando menos negro. Sin embargo, estos indignantes no representan a nadie y no son los únicos indignados. La mayoría lo estamos. Sobre todo con este gobierno con un zombi a la cabeza, un postulante rubalcabiano que aspira a heredar la ruina en vez de estar sentado en un banquillo ante el juez por sus múltiples fechorías y su compadreo con la ETA –véase su hemeroteca histórica que no histérica- y una oposición que cuando no cumple sus obligaciones de opositar, espera obtener el poder sesteando, mientras toma chacolíes con los de Bildu en el Ayuntamiento de San Sebastián, se va de público a la telebasura patrocinada por Vasile o espera que lleguen los titulares en los diarios deportivos o en Teledeporte. El panorama es desolador y produce arcadas.

No obstante, todo se queda corto ante el bochorno cósmico que produce ese movimiento autodenominado del 15-M, que viendo que su índice de popularidad aumentaba de igual modo que la prima de riesgo, tomó las calles a su antojo, saltándose la legalidad democrática y se creyeron que podían vulnerar la ley si sacaban su carné de miembro del club de los indignados y que esto les daba patente de corso. A la sazón, ¿a alguien le puede extrañar lo que ha sucedido en Madrid en la mal llamada manifestación anti-papa? Porque las líneas de actuación estaban determinadas en las consabidas manifestaciones del orgullo gay en las que se utilizan palabras y expresiones lesivas contra los sentimientos y las creencias religiosas y morales de muchos católicos, sin que nadie intervenga, vaya a ser que nos llamen homófobos. Y en mi caso sería más que improbable, la evidencia así lo revela. Y es público y notable. Lo cual no quiere decir que haga bandera de ello. Así que, la careta de estos indignantes, manejados sin remisión por okupas y antisistemas, auspiciados tal vez por la ex generala Mayol, ex vicealcalde de Barcelona que puede presumir de ser la primera mujer declarada antisistema de la historia con coche oficial y entusiasta de una boutique de firmas de lujo del Paseo de Gracia, se ha derrumbado ante la llegada del líder de la Iglesia Católica.

Hubiese sido cuando menos necesario que antes de haber pisado la calle, estos indignantes dejaran de lado su indigencia intelectual y se ilustraran en diversos conceptos que al parecer no tienen claro y que mezclan como si tal cosa. Para ellos resulta ser lo mismo aconfesionalidad, laicismo, laico y anticlericalismo. ¡Cuánto daño ha hecho la LOGSE! Y de este modo, envueltos en el espíritu estalinista, los gritos que más se escucharon en su marcha fueron No estamos todos, falta Satanás, los cristianos a los leones y arderéis como en el 36. Lo cual no deja de ser revelador de sus intenciones de avenencia entre los españoles. ¿Y esto no es espíritu *guerracivilista*?

Sin embargo, faltaba el bufón de la cuchipanda de la inquisición progre. Y apareció el payaso italiano Leo Bassi, aclamado cual rajá. Con un vehículo con una carreta atada a dos bicicletas, una mala recreación del papa móvil, portando una vela cuadrada en la que podía leerse Choque de titanes, el combate espiritual del siglo XXI, con imágenes de Hessel y

Ratzinger. Para no creer en Dios han hecho gurú de la causa a un personaje y un panfleto con aires de totalitarismo. Pero no me extraña en absoluto. Los mismos que allí se congregaron, con las venas hinchadas y un odio enfermizo intentando agredir a los jóvenes católicos en la Puerta del Sol, que tan solo rezaban, son los mismos que serían incapaces de manifestarse por la libertad en Cuba, Qatar, Siria, China o Birmania. ¿Por qué no se han manifestado cuando ha venido el Dalai Lama a España? ¿Se manifestarán tal vez en la mezquita de la M-30 para protestar por el Ramadán y por la discriminación de la mujer en los países musulmanes? ¿Saldrán a la calle los mismos gays que han acudido a esa manifestación totalitaria contra Irán y su sana costumbre de ahorcar a los homosexuales? Ya saben la respuesta.

Ahora ellos solitos cavan su fosa y quedan retratados. Eso sí, con la inestimable ayuda de la izquierda de escaño, que ha pedido insistentemente que se prohíba dejar espacios y lugares públicos a los jóvenes y peregrinos que vienen a ver al Papa, solo porque no comulgan con sus ideas. Son los mismos que les importa bien poco que sea la Iglesia Católica y Cáritas, en gran medida, los que están dando de comer a todos los desheredados de este gobierno ruinoso, cuya única vía de sustento radica en la solidaridad de los miles de voluntarios que están dando su tiempo en los comedores sociales. Esos mismos comedores sociales que brillan por su ausencia en las casas del pueblo regentadas por la UGT y el PSOE y que nos cuestan muchos millones de euros en subvenciones.

Este es el verdadero rostro de esta gente. Olvidan que la libertad de expresión y la causa de la libertad dejan de serlo cuando el único fin es menospreciar la libertad del otro. Tal vez por ello hoy más que nunca sea necesario reivindicar aquella magnífica frase del maestro Horacio Vázquez Rial, aquello de no creo en Dios, pero creo en los que creen. Mi agnosticismo no se tambalea, pero hoy abrazo más que nunca la causa de la libertad. Que para los que creemos en la democracia es la causa de todos.

Almodóvar, fuera de la cuota

Decía Claude Chabrol que la tontería es más fascinante que la inteligencia. La inteligencia tiene sus límites, la tontería no. Estas palabras no pueden ser más apropiadas para definir la penúltima chuscada que viene del feminismo de cuota y que, sin duda, es una sandez que produce en el respetable bochorno interplanetario, que diría Leire Pajín. Resulta que Esther Martínez Quinteiro, directora del Centro de Estudios de la Mujer, ha manifestado hace pocas semanas que algunos filmes de Pedro Almodóvar son la antítesis de la igualdad y la perspectiva de género y que la imagen de la mujer no sale bien parada. La verdad es que si no estuviera tan perplejo ante semejante afirmación ya hubiera hecho uso de algún adjetivo calificativo con sarcasmo, pero, por desgracia, hay comentarios que anulan hasta la ironía y secan hasta las palabras. Debe ser cierto aquello de que la estupidez debe ser una enfermedad muy contagiosa que se acabará convirtiendo en la única que jamás tendrá cura.

Pero ojalá todo se quedara aquí y se tratase tan solo de una salida de tono típica del feminismo revolucionario. Pero no. Martínez no solo acusa a Almodóvar de no defender la ideología de género en sus películas, como sería plausible en una referencia simbólica del zapaterismo, sino que incurre directamente en la fechoría en películas como Átame o Hable con ella, respecto a las cuales afirma que no se puede decir que una mujer sea seducida por un secuestro o que una mujer que está en coma pueda ser violada y de esa manera curarse. Bravo.

Solo le ha faltado acusarle de misógino y de humillar y convertir en fetiches del escarnio a esas mismas mujeres. Pero no se preocupen, ni se lleven las manos a la cabeza, o, si leen este artículo desde la playa, no arrojen a la arena sus terminales móviles como terapia de choque. No creo que a Almodóvar le preocupe mucho ser un candidato quimérico a feminista. Pero en cualquier caso me parece injusto. Por una cuestión histórica. Porque en un momento determinado, en un país en el que el tratamiento histórico de las mujeres en España siempre se ha caracterizado por atribuirles solo tres patrones, madre, monja o prostituta, Almodóvar ha visibilizado otros roles. El de aquellas mujeres que tenían que fingir, que mentir, que ocultar y, de ese modo, permitir que la vida fluyera a su alrededor. El de aquellas mujeres con la necesidad de cambiar el rumbo, de construir una vida paralela ante ese machismo que salpicaba de mediocridad la España en blanco y negro. Sin lugar a dudas, esa es la España que maquilló Almodóvar. Aquella en la que la solidaridad entre las mujeres, esa naturalidad femenina y espontánea ha construido la mejor de las historias: la de la dignidad de las mujeres. Pero en este país resulta cuando menos fácil olvidar la memoria.

Sin embargo, esperaré con desasosiego las declaraciones de la ministra Bibiana Aído, poniendo orden al respecto. Tal vez con el anhelo de reconciliarme con su Ministerio y con el sentido común, que falta nos hace. Pero me temo que, acogiéndome al derecho deontológico a recelar, brillarán por su ausencia. Contradecir al feminismo oficial y oficioso es poco rentable políticamente. Así que me temo que para contentar a la cuchipanda, Almodóvar quizás sea citado ante el sanedrín feminista tras las vacaciones, en septiembre, bajo la acusación de haber cometido el peor delito posible: el ataque al feminismo de estado. Espérense cualquier cosa.

Aborto, ¿culmen del progreso?

Llevo un tiempo reflexionando acerca de una cuestión que para muchos sería poco más que una nimiedad pero que, en mi opinión, es un asunto que debería formar parte del debate social y ser considerado como uno de los mayores fracasos colectivos. Me refiero a la refinada hipocresía que subyace en un asunto que tiene mucho de verdad incómoda como es el aborto, máxime cuando se cumple el primer aniversario de la ley del aborto libre, disfrazado bajo el eufemismo de ley de la salud sexual y reproductiva y de la interrupción voluntaria del embarazo. Una ley que la sociedad nos vende como la cúspide del progreso cuando, en realidad, no es más que una banalización imperiosa de la vida del nasciturus durante los tres primeros meses del embarazo y que nos ha conducido, a la sazón, a un incremento del número de abortos.

Seguramente será cierto aquello de que una verdad incómoda es una razón bien sustentada que se tiende a esconder para pertenecer cómodamente al rebaño. Y para ello nada como esa arcaica argucia humana de hurgar en las emociones y eliminar todo aquello que molesta a nuestro subconsciente. No hay duda. Resulta más sencillo nadar a favor de corriente y pertenecer al género ovejuno que reflexionar sobre los principios. Los principios salen demasiado caros.

Sin embargo, lejos de caer en el pesimismo imperante, nunca me había alegrado tanto de ver una noticia en un rincón tan inaccesible y a una sola columna en un periódico de tirada nacional. Como si no tuviera importancia, como si las cosas importantes no fueran amigas de la estridencia y el escándalo, como si fuese tratado como un asunto de sociedad que interesa a un público minoritario y exaltado. Me refiero a los centenares de indignados en favor de la vida que han acampado en la madrileña Puerta del Sol. Acaso con la inequívoca intención de evitar que el olvido llegue al corazón como a los ojos el sueño, parafraseando al clásico. Jóvenes de todas las edades, ataviados con camisetas y gorras rojas, asfixiados por el sofocante calor, con altavoz en mano y una pequeña tienda de campaña como base de operaciones pero colmados de una vitalidad envidiable, aún a sabiendas que son miembros del pensamiento incorrecto y candidatos al ostracismo más siniestro. Jóvenes, al fin y al cabo, cuyo coraje les ha llevado al epicentro de la rebautizada plaza de las ideas para que nadie olvide que desde que existen registros oficiales ha habido más de un millón de abortos en España, un dato que a simple vista a uno debería estremecerle.

Algunos podrían pensar que una posición en contra del aborto en boca de un agnóstico, resulta cuando menos extraño a la par que extraordinario, mayormente para la mayoría de la turba que considera el aborto el súmmum del progreso. Tal vez sea esta la razón por la cual si te posicionas en contra del aborto, aunque no profeses religión alguna como en mi caso, cargarás sobre tus espaldas el estigma de ser tildado de ultracatólico por los estamentos oficiales y la acusación de ir en contra del progreso que para no pocos significa que cada vez se mata más y mejor, que diría el filósofo Albiac. Son los mismos que olvidan que las grandes batallas ideológicas y por los derechos civiles siempre se han librado a contracorriente.

Con todo, me parece deleznable que aquellos que han acampado por la vida no hayan corrido la misma fortuna que los indignados oficiosos, mimados por *tutti quanti* con un paternalismo de doble filo. Si somos ecuánimes, es incuestionable que la ley dicta que ninguna de las dos acampadas se ajusta a la legalidad. Pero, ¿por qué el trato recibido varía en función de quién sea el que se queje? Aunque ya sabemos qué ocurre con aquellos que se apartan de la piara y molestan hasta la médula. Y como los acampados por la vida no gozan del cariño de P. –o séase Rubalcaba- y demás miembros de la cosa ministerial, han intentado por todos los medios entorpecerles la entrada a Sol al mismo tiempo que agasajaban con un cariño desatado a los jóvenes que ocupan la Puerta del Sol. Y todo por nadar contra corriente, contra la dictadura del pensamiento correcto divulgada a través de un sistema de medios de comunicación, que actúan en la mayoría de los casos como correa de transmisión al más puro estilo orwelliano, diciéndonos cómo debemos pensar y certificando así la agonía de un pueblo sumiso que vive en la ilusión de ser libre.

Y así vivimos. Vanagloriándonos de vivir en un mundo que se encuentra a gusto bendiciendo el aborto como un derecho, cautivos de un miedo atroz que nos lleva a aceptar temerosamente y con beneplácito las falsas ideas de que las mujeres tienen derecho a decidir qué hacer con sus cuerpos, respirando su hedor siniestro sin sentir arcadas, aparentando que nos preocupa mientras somos cómplices con nuestro silencio o nuestra indiferencia de semejante despropósito.

Pese a todo, y aún a riesgo de molestar a los meapilas oficiales, estoy convencido que algún día el hombre se avergonzará del aborto, como se avergonzó del holocausto judío, del maltrato a los animales, de la ablación del clítoris, de la tortura y hostigamiento de los homosexuales o de la esclavitud de los negros. Por fortuna, hoy me siento orgulloso de que haya tantos jóvenes que en un verano caluroso y casi sin medios se atrevan a levantar la voz contra la dictadura de lo políticamente correcto y a favor de la vida. Eso significa que hoy muchos siguen creyendo que hay utopías que todavía son posibles.

¿Intereconomía? ¡Exprópiese!

Siempre he pensado que los caudillos, además de tener tics sectarios y autoritarios, son poseedores de un divismo y un fetichismo único. Hugo Chávez es un buen ejemplo. De hecho, entre las múltiples fechorías del inquilino del Palacio de Miraflores hay una que pasará a la historia por ser un acto despótico de difícil igualación. Me refiero a aquel que aconteció durante la retransmisión de su Aló presidente, y en prime time, en el que demostró sus antojos, alentado por sus prosélitos autodenominados, sarcásticamente custodios del Libertador. Chávez impartía lecciones sobre el buenismo del socialismo y la revolución, mientras paseaba con su cortejo hasta que tropezó con una propiedad de la que alguien dijo que había vivido Bolívar en su juventud. Y entonces el monstruo despertó. El déspota de Venezuela preguntó al alcalde de Caracas cuáles eran los usos de la casa, y cuando éste le contestó que pertenecía a negocios privados, Chávez decretó: "¡Exprópiese!".Y así, en plan imperioso, con sus hechuras de sheriff de Miraflores, continuó con hasta tres edificios más de la plaza. Exprópiese, Exprópiese, Exprópiese.

Puede resultar divertido, lo admito. Si no fuera porque esta es la misma izquierda liberticida que en los años treinta desoía las acusaciones contra los colosales crímenes del estalinismo y la masacre de Katyn, los que decían que la China de Mao era el nirvana y los que, por supuesto, negaban la existencia de las checas republicanas. Setenta años después, siguen apoyando el totalitarismo. Me refiero a esos tentáculos del ejército bolivariano que se han instalado, espero que para no quedarse, en el Ministerio de Industria por orden de Miguel Sebastián. Resulta que este Ministerio ha impuesto una multa de 100.000 euros al canal Intereconomía, por infracción grave por la emisión de un vídeo supuestamente homófobo: *Día del Orgullo Gay, 364 días de Orgullo de la gente normal y corriente*. Gente normal y corriente, por cierto, entre las que, sin duda, también nos encontramos las personas homosexuales. Como no puedo ser tildado de pertenecer a la Kommintern mediática, siento vergüenza ante este atropello de la libertad. Por supuesto que tienen todo el derecho a mostrarse tan atrayentes como les plazca y provocar el escándalo de que sean capaces, que en el fondo es lo que buscan. Faltaría más. Pero, no por ello están inmunes de la crítica. Porque para desgracia nuestra, la imagen que todo el mundo tiene del orgullo gay son los hombres en tanga, mujeres mostrando sus pechos, nostálgicas de una España *démodé* en forma de Revista, drag queens con plataformas increíbles, vuvuzelas sectarias encabezando las manifestaciones y el mayor derroche de plumas por metro cuadrado. Y todo esto a pesar de que la mayoría de lesbianas y gays no somos así ni nos sentimos representados por este carnaval barato y estrafalario. Por ende, como vivimos en un estado con libre expresión y con derecho a la disidencia, ¿por qué no criticar estos carnavales si son financiados con cientos de miles de euros con la excusa de apoyar al colectivo gay? No solo eso, los organizadores de este evento reciben, además, generosas subvenciones que salen del bolsillo de todos los contribuyentes para financiar esta mafia rosa, como les llama la asociación de gays y lesbianas COLEGA. Es el caso del Ayuntamiento de Barcelona, que se ha subido también al carro de la progresía más petarda como su homónimo Gallardón, despilfarrando el dinero público para aparentar ser más progres que nadie. Se equivocan. Confunden el respeto a la diversidad sexual con la simpatía por la extravagancia o por un estereotipo determinado. Por suerte, hay otros hombres y mujeres que hacen de su sexualidad la normalidad, hombres y mujeres que no solo se vanaglorian de amar a quien aman sino que se orgullecen de ser ciudadanos, sin necesidad de mostrarse extravagantes.

Y mientras tanto, en un claro ejemplo de sectarismo, estos censores con boa, alentados por el espíritu bolivariano han dejado de lado sus proclamas antidiscriminación para discriminar abiertamente a los gays israelíes, vetando su asistencia al carnaval argumentando que son unos opresores de los palestinos.

No voy a ser yo el que les diga que no tienen derecho a todo ello. Dios me libre. Lo que no pueden pretender es controlar lo que los demás pensemos de ello. Ya sería el colmo. Porque lo que más me repugna, principalmente, son los criterios que se han aplicado para este atropello. Me van a perdonar la pregunta, pero ¿ustedes creen que impondrán una sanción a todos aquellos que osan insultar a los cristianos y a otros políticos en las marchas del carnaval gay con sus crucifijos con penes colgados y monjas en tanga? Y voy más allá. ¿Creen que multarán a aquellos medios afines que en un alarde de progresismo casposo denigran a indigentes en las calles de Hamburgo o parodian a la infancia pobre paraguaya? Ni las ha habido ni se las espera. Sinceramente, esto se asemeja a las dictaduras, donde el gobierno de turno impone multas y dictando censuras cuando alguien contradice las tesis ideológicas del partido en el poder. Esto es exactamente lo que ha hecho el gobierno multando a Intereconomía, propio de las experiencias populistas venezolanas, pero no de un país miembro de la Unión Europea.

Pero si no teníamos suficiente con la mordaza a lo Berlusconi, ¡qué rápido aprenden de los bufones mayores del Reino!, ahora resulta que el COGAM, el Colectivo Gay de Madrid, no tiene suficiente y exige el cierre de esta cadena, cambiando la legislación en vigor si eso fuera necesario. Está claro que Hugo Chávez no lo hubiera hecho mejor. ¿Intereconomía? Exprópiese.

Elena y el estado del bienestar

Si lo que nos preocupa, porque debería, es el impacto individual de que Elena, una niña rumana de solo diez años, dé a luz a un bebé, no menos debería preocuparnos el enorme fracaso social, humano y sanitario que supone. Con todo, es curioso como en este país tendemos a simplificar las cosas de forma imponente cuando se trata de un asunto demasiado complejo y con demasiados matices. Pero como vivimos en un país de tramoyistas sin escrúpulos, de buenismo desfasado, de alarmistas descalabrados y de escribas y fariseos, poco nos puede extrañar.

Esta vez ha acontecido en Jerez de la Frontera -aunque la niña vive en un pueblo de Sevilla-. Uno tendería a pensar que se trata de un caso aislado, una anécdota entre las miles de tragedias que ocurren a diario. Sin embargo, las estadísticas nos apuntan justo lo contrario, que es un fenómeno que se está acentuando. De hecho, casi doscientas menores de quince años dieron a luz en 2008 en España, según el Instituto Nacional de Estadística (INE). Eso sin tener en cuenta los centenares de abortos que se practicaron a madres que no eran más que niñas y que, además del drama social y moral que supone, demuestra un fiasco en educación sexual, digno de una tesis del despropósito. Lo que demuestra, por tanto, que el origen del problema es educacional pero, sobre todo, de información y de responsabilidad de los padres. Piensen, igualmente, que el padre también es un menor de trece años. Así que la primera conclusión debería ser priorizar la educación en valores y a nivel sexual en los colegios y en el entorno familiar para evitar nuevos casos que reproduzcan este modelo del despropósito que lleva consigo un triple fracaso.

Fracaso porque una niña que debería jugar con muñecas no puede convertirse en madre de la noche a la mañana. Es posible que su cuerpo esté preparado, pero su mente no. Y como consecuencia sufrirá secuelas físicas y psicológicas irreversibles. Fracaso porque serán los mismos padres que no han sido responsables en el cuidado y educación de su hija los que terminarán cuidando al bebé mientras siguen criando a la madre-hija que no supieron atender con responsabilidad. Y fracaso porque estas cosas, más allá de extremas casualidades, son fruto de una pésima integración social de los actores protagonistas. Por tanto, sería necesario que intervinieran los servicios sociales de la Junta de Andalucía para actuar de oficio e investigar si es necesario quitarle la custodia a la madre. Aunque sea una buena madre hay que investigar si se han vulnerado los derechos de la infancia. Tengo mis dudas. Porque, ¿consideran normal que la madre afirme con descaro no entender el revuelo que se ha organizado? Y todo porque afirma que es a esa edad cuando se casan en Rumanía. Digno de un análisis con detenimiento.

Pero además, está el otro asunto, el que subyace de fondo pero no por ello menos importante: el eterno debate entre inmigración y estado del bienestar. De hecho, los últimos datos muestran que solo un 25% de los inmigrantes legales que habitan en España están afiliados a la Seguridad Social, es decir, cotizan. A la sazón, ¿debe hacerse cargo la seguridad social española, sufragada por los bolsillos de todos los contribuyentes, del parto de una niña rumana que hace solo tres semanas vino a España a dar a luz con la excusa de una boda? Lo dejo en el aire. Máxime teniendo en cuenta que uno de los problemas que tenemos en este país es que la sanidad es tan universal que el turismo sanitario se ha incrementado de forma notable en los últimos años, siendo un foco de atracción para muchísima gente de cuantiosos países. El caso de la niña rumana es, pues, la punta del iceberg que debería impulsar una reflexión con profundidad, con consenso y con sentido común, sobre las pautas del estado del bienestar que muchos contribuyen a que exista, mientras los menos se aprovechan de su capital importancia. Es posible que una solución sea imitar las medidas instauradas en Francia, donde los inmigrantes ilegales ya no disfrutarán de sanidad gratuita para evitar casos como el de un árabe polígamo con cinco mujeres que cobran todas del sistema de protección social. ¿Xenofobia o racismo? Sentido común. Es necesario, aunque nos duela, tomar medidas para asegurar el estado del bienestar que tanto ha costado construir. Sin embargo, flaco favor le haríamos al sistema si aplicamos el buenismo característico de la casta política que solo haría que prolongáramos la agonía de un bienestar que, datos y expertos en mano, es insostenible en las actuales coyunturas económicas, sociales y demográficas. O actuamos con mano firme y con valentía o cuando llegue el momento será demasiado tarde.

La violencia silenciosa

Hay un principio básico inherente al derecho a opinar. Me refiero a la rigurosidad y a la honestidad. Este principio necesario en cualquier argumento que se precie es, además, una exigencia ética y moral en el controvertido asunto de la violencia de género. No solo por la dignidad de la víctima, que también, sino porque, a mi juicio, en la lucha por la igualdad y por la consideración de víctima, se ha banalizado con exceso el tema de la violencia y parece que es algo que compite exclusivamente a las mujeres.

Así que, como no soy sospechoso de tener una postura beligerante contra el feminismo oficial y oficioso, puedo opinar sobre la sempiterna demonización del hombre, que supuestamente agrede a la mujer, sin tener derecho a la presunción de inocencia. Y esto, incomprensiblemente, se ha convertido en un principio moral del pensamiento pseudo-progre. Al fin y a la postre, parece formar parte de un mandamiento laico del catecismo no escrito del buen ciudadano. O estás a favor de la ley integral contra la violencia de género, o eres miembro de honor de la caverna más primitiva. O peor aún, perteneces a una especie de lobby neo-machista y te conviertes en un cómplice del maltrato hacia las mujeres. Sin embargo, los hechos son los únicos que devuelven la dignidad a las palabras, aunque las palabras sean incómodas.

¿Quién no recuerda, pues, que no hace aún tanto tiempo, el maltrato podía formar parte de la lógica familiar, que era considerado una cuestión personal y que todas las mujeres magulladas se habían golpeado contra el pomo de la puerta? ¿Hemos olvidado tan pronto que los abogados que luchaban contra el maltrato conyugal se encontraban con policías, asistentes sociales, leyes y tribunales que no podían o desconocían cómo combatirla y que lo único que encontraban, en el mejor de los casos, era una invitación a regresar a su casa, perdonar al marido y hacerle la cena?

Por fortuna, las cosas han cambiado. Ahora la ley permite reivindicar debidamente la condición de víctima y la necesidad de que toda la sociedad se comprometa en su protección y atención completa. Pero a nadie se le escapa que se trata de una ley injusta, hecha para las mujeres. ¿Dónde queda la dignidad de muchos hombres, tanta veces denostada, que en silencio sufren la misma tragedia? Por ende, la ley debe ser reformada para suplir las carencias que tiene. Por muchos motivos. Pero, sobre todo, para evitar lo que desde hace años se está produciendo: un continuo uso fraudulento de dicha ley. Porque muchas mujeres, quizás para vengar la derrota de un amor, optan por acelerar sus procesos de divorcio gracias a una denuncia falsa, a veces a recomendación de sus abogados. De esta forma, acceden a un juicio rápido, se quedan con la custodia de los hijos, la casa y obtienen una orden de alejamiento para el presunto agresor. ¿Y qué ocurre, por el contrario, si es el hombre la víctima de los malos tratos? Me temo que nunca tendrá acceso a la vía que contempla la Ley de Violencia y en la mayoría de los casos le darán largas en las comisarías, en los juzgados, en los Partidos Políticos y hasta en los sindicatos, solo por el mero hecho de pertenecer al sexo masculino.

Es evidente. Este paradigma transversal a cualquier espectro ideológico se ha enraizado tanto en nuestro subconsciente que oculta una violencia silenciosa: aquella que ejercen muchas mujeres contra sus parejas o ex parejas. Por activa o por pasiva. Pero esto no interesa hacerlo extensible y, seguramente por eso, voy a ser expulsado del Olimpo de lo políticamente correcto –léase feminismo-, por parte de algunos gurús del dogma, acusado, tal vez, de practicar el tiro en la nuca contra la santa igualdad y los derechos de las mujeres.

Pero esa falsa igualdad está haciendo un daño notable a muchos hombres. Si la ley permite el timo vergonzoso de castigar a un ex marido con falsas denuncias de maltrato, si las denunciantes que osan interponer una denuncia falsa no reciben castigo por ello y si muchos hombres están sufriendo un nuevo tipo de acoso y ven sus derechos mutilados, ¿no habría que reformar la ley? Pero me temo que no vamos por este camino. La intención del Gobierno socialista de otorgar la patria potestad por real decreto a la mujer en caso de denuncia de maltrato, es un dislate del derecho de tal envergadura que produce vergüenza cósmica. En primer lugar, porque destruye el principal pilar del Estado de derecho, la presunción de inocencia. Y segundo porque dicho dislate viene a consagrar una discriminación de raíz. Porque al fin y al cabo, lo que hay que combatir por igual es toda situación de dominio y toda manifestación de violencia que esta genere, con independencia que sea del hombre sobre la mujer o de la mujer sobre el hombre. Con las víctimas, siempre. Pero con todas las víctimas, no las que convienen.

Criticar el feminismo y, sobre todo, criticar las lagunas que la ley tiene, es cuando menos una provocación para cierto espectro ideológico de nuestra sociedad y por tanto, tienes todas las papeletas de caer en la relegación, bajo el delito de ser contrario a la igualdad. Sin embargo, la verdad solo tiene un camino y nos hace libres, que dijo cierto rabino.

¡Ciérrese, múltese!

A estas alturas de la película, a nadie se le escapa que el Gobierno Zapatero está dispuesto a desafiar a la gravedad en las postrimerías de la legislatura con su receta clásica, ideología para contrarrestar la desmoralización entre sus votantes. La tensión, que bien falta nos hace -que diría Zapatero, confesándose a su periodista pródigo. A tal fin, ¿qué hacer ante la impotencia y la ineptitud de la gestión de la crisis y la magnitud del desempleo que está masacrando a su electorado? Demagogia por doquier. Por tanto, conlleva intrínsecamente renunciar a resolver los problemas fundamentales de los españoles –ya que equivaldría a tomar medidas impopulares- y en paralelo crear otros nuevos basados en el engaño, que eso da votos. ¿Hemos olvidado tan pronto el desastre del famoso Plan E? Así que, como si no tuviéramos que sufrir ya bastantes insolencias y paranoias lesivas por parte de este gobierno, resulta que ahora pretende atacar uno de los principios fundamentales y que define a la perfección a cualquier democracia que se precie: la libertad de expresión e información. Y es que este gobierno nos sorprende –si es que a estas alturas ya nos puede sorprender- con la puesta en marcha de un Consejo Estatal de Medios Audiovisuales (CEMA), con capacidad sancionadora, cuyo objetivo consiste en velar por los contenidos para evitar valores devaluados de convivencia y climas de crispación y enfrentamiento, que en boca de la izquierda debe significar un modo sibilino de señalar con el dedo a locutores, radios, televisiones y tertulias no afines a ZP. De hecho, ¿bajo qué prisma si no, radican las declaraciones de la ministra Pajín, tan sutil en la necedad cósmica, reclamando que su departamento revise la información que publican los medios sobre Sanidad? El Gran Hermano de George Orwell y su fantástico 1984, libro de cabecera de obligatoria recomendación paria, en las huestes de la Moncloa, sin lugar a dudas. Eso sí. Nos creemos con autoridad moral para levantar la ira con una medida similar que quiere implantar Hungría y a la que los eurodiputados socialistas se oponen frontalmente. Un ejemplo claro de hipocresía y doble moral.

Con todo, el subterfugio para disimular este tic totalitario es la necesidad de velar por la calidad ética de los contenidos televisivos y su ingente preocupación por la banalización del espacio público, con la presentación de determinados personajes de escaso mérito como modelos sociales. Pero, ¿por qué se escudan, pues, en La Noria y en Mujeres hombres y Viceversa para justificar lo injustificable? Sonaría a cuchufleta de mal gusto, si no se tratara de un asunto tan grave. Por tanto, seamos serios.

¿Ustedes creen que se van a atrever a tocar un ápice los programas de las cadenas contenedores? ¿Ustedes creen que les importa un comino que el programa de Telecinco *Sálvame Deluxe* contratase a un esclavo sexual que, con posterioridad, confesó en directo que era un maltratador y que había estado en la cárcel y que acabó con la entrada de la policía para detenerle? ¿Piensan ustedes que van a interponer una sanción a un famoso periodista deportivo de la progresía –ahora en cadenas episcopales- que humilló públicamente a un mendigo en Hamburgo con el beneplácito de la extinta televisión de Prisa? ¿De verdad creen que este comité mordaza se crea para evitar que en La Noria –a la que tanto se jactan nuestros políticos en acudir haciendo cola si fuese necesario para llevar la buena nueva- se evite la humillación pública y la chabacanería? ¿Olvidamos que hace pocos días Jordi González, el conductor del programa, y su segunda de a bordo, Sandra Barreda, se fanfarronearon con aquello de lo que algunos estarían dispuestos a hacer por 50 euros? Y como resultado vimos a una pobre ciudadana, con el peso de la crisis a cuesta en sus carnes, que para llevarse lo que Telecinco le ofrecía tuvo que desnudarse y pasearse en paños menores entre la horda de transeúntes que no salían de su asombro. Claro, nobleza obliga. Porque resulta indispensable servirse de unos euros ante las narices de una humilde y necesitada señora por el puro regodeo de ver cómo se le humilla. Por suerte, a esta ciudadana le quedará el consuelo de denunciar a la cadena de la telebasura amparándose en la futurible *Ley Integral de Igualdad de Trato y No Discriminación*, cuya madre de la criatura, Leire Pajín, se vanagloria en afirmar al respecto que quiere construir una sociedad que no humille a nadie, creando una autoridad sancionadora si fuese necesario e incluso recuperar, si fuese preciso, la inversión de la carga de la prueba o prueba diabólica, o séase que los acusados de discriminación carezcan de presunción de inocencia y tengan que ser ellos los que demuestren su inocencia. ¡Cuánto bobo de la bobería! Y sobre todo, ¡cuánta ineptitud!

Y, por supuesto, ¿ustedes piensan que el gobierno instaura este comité censor para multar a la Cuatro por hacer un reportaje con un conductor condenado por asesinato –señálese Farruquito-? Un ejemplo de ilustración a base de cachondeo, litros de alcohol, regodeo y, por supuesto, una periodista dentro del vehículo mostrándonos, detalle en mano, sus habilidades al volante. Un festín que, sin duda, va a provocar una humillación sideral a la viuda de Benjamín Olalla, el hombre que tuvo la desgracia de cruzarse en un paso de cebra con el bailaor, quién carecía, por cierto, de carné de conducir. No lo esperen. Y no lo esperen porque suenan a socarronería las apelaciones éticas a las que ahora se encomiendan. Y, sobre todo, carecen de credibilidad. No en vano, un buen número de programas de televisión de los que tanto les escandalizan a sus ilustres señorías, son producidos, precisamente, por muchos de sus amigos. Todos de izquierdas y todos multimillonarios. Así que,

¿ustedes creen que si el problema fuera la telebasura, el Gobierno no habría tomado medidas mucho antes? No nos engañemos. Lo que le preocupa a este gobierno es silenciar a la multitud de tertulias que, gracias al paraguas de la Televisión Digital Terrestre y la libertad de expresión, han surgido en los medios y que llevan por bandera, faltaría más, ser críticos con el gobierno de Zapatero? Ya multaron a Intereconomía por atreverse a levantar la voz contra el Orgullo gay. Me temo que si esta ley sale adelante, el futuro que le espera a la prensa libre es para temblar.